D1516139

Daniel Pennac

Messieurs les enfants

Gallimard

À l'ami Pierre Boutron, qui, pendant que j'écrivais ce roman, racontait la même histoire au cinéma. Il ne lira ces lignes que le jour où je verrai son film. Telle a été la règle de notre jeu.

On ne devrait pas vivre tous les jours.
Christian Mounier

Mes remerciements à Nicolas Doutey,
subtil dénicheur de titres,

à Roger Grenier, implacable traqueur de bourdes.

I

LE SUJET

L'imagination, ce n'est pas le mensonge.

1

– L'imagination, ce n'est pas le mensonge.

Crastaing hurlait ça sans élever la voix.

– L'imagination, ce n'est pas le mensonge !

Son cartable vomissait nos copies sur son bureau.

– Vous le faites exprès ?

Personne ne le faisait exprès. Il aurait fallu être cinglé pour le faire exprès.

– Combien de fois faudra-t-il vous le répéter ?

Trente ans plus tard, il le répétait encore :

– L'imagination, ce n'est pas le mensonge !

Pendant ces trente années le cheptel s'était renouvelé trente fois, certains élèves étaient les enfants de ses premiers élèves (les petits-enfants étaient sous presse), mais la formule de Crastaing, elle, n'avait pas changé :

– L'imagination, ce n'est pas le mensonge !

Et Crastaing pas vieilli. Pas ce qu'on appelle vieillir, pas cette dégringolade de la chair autour d'un regret de jeunesse, ni cette calcification du cœur au nom du réalisme. Pas ce genre de vieillissement. Il était resté lui-même, tout bonnement, sans âge, dès le départ. C'était peut-être ça qui flanquait la trouille aux générations : Crastaing datait de toute éternité.

– Quel âge il a, d'après toi ?

Bonne question. Quel âge pouvait avoir ce prof inoxydable qui transformait depuis toujours ses élèves en statues de sel ? On ne le voyait pas entrer dans la classe. On l'attendait, il n'était pas encore là. On relevait la tête et on ne voyait que lui : le même costume depuis les origines, la même tache violette sous l'agrafe du stylo, le même sparadrap à la branche droite de ses lunettes... et si pâle qu'on ne voyait de lui que ses traits : un contour de caricature.

– L'imagination, ce n'est pas le mensonge !

Oh ! cette voix de craie...

Son vieux cartable lâcha une coulée de copies sur le bureau.

– Vous le faites exprès ?

Cette fois-là comme toutes les autres, il choisit un devoir au hasard.

– Mademoiselle Fontange !

Le soulagement de tous en entendant le nom d'un autre ! Et la petite mort d'Isabelle Fontange, à l'explosion de son nom...

– Oui, vous, Fontange...

Je me suis toujours demandé comment un pédagogue d'âge mûr pouvait appeler par son nom de famille un petit machin de douze ans et trois mois dont les pieds pèsent encore leur poids d'enfance... Sans blague, essayons d'imaginer un peu : une femme ou un homme plus que faits se réveillent chaque matin, brossent des dents aux gencives troussées, testent la chute d'un sein, le flasque d'un

14

jabot, décachètent une lettre du Trésor public, éprouvent un pincement d'enfant incompris devant le charabia comminatoire de l'Administration, remettent la réponse au lendemain, saisissent leur cartable de prof, plongent dans le métro, un reste de tartine dans la bouche, et une demi-heure plus tard toisent une gamine de douze ans et trois mois :

– Je vous écoute, Fontange.

En tenant la copie du bout des doigts comme un résidu de serpillière.

– Je vous écoute : qu'est-ce que c'est que cette histoire de grand-mère porteuse dont le bébé devient la sœur de sa fille, laquelle devient la mère de sa mère ?

Personne ne rigole.

– Je vous écoute, Fontange, mais je ne vous entends pas.

Finalement, la gamine balbutie :

– C'était dans le journal...

Exactement ce qu'il ne fallait pas dire. (Mais que fallait-il dire ?)

– Ah bon ? Quand je vous demande d'imaginer la famille idéale, vous recopiez les journaux ?

« Imaginez la famille idéale », c'était le sujet du devoir, oui. De mémoire d'élève, Crastaing n'avait jamais donné que des sujets sur la famille ou sur l'enfance. Une de ces bizarreries de professeur qui font une légende.

– Les *journaux*, Fontange...

Et ce fut la colère blanche :

– La vérité n'est pas dans les journaux ! La vérité n'est pas dans votre poste de télévision ! La

15

vérité n'est même pas dans ce qui se dit autour de vous !

L'enseignement martelé, le clou pédagogique.

– La vérité ne vient de nulle part, la vérité ne sera jamais distribuée dans votre boîte aux lettres...

Avec cette voix de craie à rayer les oreilles.

– La vérité n'est pas un dû ! La vérité est une conquête, toujours !

Mot pour mot ce qu'il nous assenait trente ans plus tôt. Ce n'était pas faux, mais que pouvait-on y comprendre, nous autres ? Aujourd'hui encore, devant cette classe aux oreilles trop neuves, c'est de la vérité hors d'atteinte.

– Et vous, Grassien !

Grassien lève une tête de bœuf.

– Ce n'est pas une description de vous, cela, Grassien, c'est n'importe qui ! Et ce n'est pas une famille autour de vous, c'est n'importe quoi !

Il fait très bien le bœuf, Grassien. Les yeux humides et tout.

– Ne faites pas votre tête de bœuf !

Passons sur la suite, la remise des copies par ordre de notes décroissant, commentaires à l'appui :

– Grassien, inepte ! Oussedine, grotesque ! Marcelin, du porridge ! Van Dong, mensonge !

Avec une envolée par-ci par-là, baptisée « corrigé » :

– L'imagination, ce n'est pas le mensonge ! Il s'agit d'imaginer *vraiment*. Est-ce trop vous demander, de ne pas raconter n'importe quoi ? Une famille, c'est si difficile que ça à imaginer, une

16

vraie famille ? Et l'enfance ! C'est la planète Mars, l'enfance ?

Devant trente regards baissés, ce qui, multiplié par trente années d'exercice et pour cette seule classe de cinquième, nous donne neuf cents regards fuyants, soit une existence entière à déraper sur des yeux qui glissent, à se convaincre qu'on est un professeur maudit, le messager solitaire d'une vérité perdue.

Une existence entière.

Qui va basculer aujourd'hui, à seize heures et vingt-cinq minutes, à cause de trois petits cons que rien ne distingue jusqu'à présent des vingt-sept autres, et qui se foutent de cette vie de prof, de cette parole de prof, parce qu'on ne peut pas avoir peur une heure entière, même à douze ou treize ans, et même d'un Crastaing ! Trois petits cons qui offrent une minute de récré à leur cras taingite. J'ai nommé :

1) Igor Laforgue, sixième rang, coin fenêtre, qui planque ostensiblement une feuille très intéressante sous son classeur de français.

2) Joseph Pritsky, son ami et voisin, qui la lui fauche d'un geste éclair pendant que Crastaing a le dos tourné.

3) Nourdine Kader, qui se penche par-dessus les deux autres pour ne rien perdre d'une éventuelle rigolade.

Pendant que Crastaing continue son corrigé en arpentant les allées :

– La vérité, c'est que la famille est une espèce en voie de disparition ! On nous serine la perte des valeurs familiales. Des blagues ! C'est la famille elle-même qui a disparu ! Dissoute tout entière par les enzymes médiatiques ! La télévision fabrique de la génération spontanée et vous êtes le désastreux produit de cette manufacture !

IGOR : Joseph, fais pas chier, rends-le-moi, merde !

NOURDINE : Qu'est-ce que c'est ? Fais voir ! Fais voir, Joseph !

JOSEPH : C'est toi qui l'as fait, Igor ?

– Vos postes de télévision vous suffisent, voilà le drame, poursuit Crastaing en long et en large : vous avez des têtes d'écran. Des têtes d'écran avec des oreillettes de baladeur ! Je ne vous demande pas la mer à boire, tout de même ! Je vous demande de vous débrancher pendant quelques heures et d'inventer le réel. Vos parents sont bien réels, pourtant ! Ils existent bel et bien, papa et maman, non ? Vos frères et vos sœurs ne sont pas des personnages virtuels ! Si ?

IGOR : Arrête, Joseph ! Rends-le-moi ! Ça va chier, je te préviens !

JOSEPH (fou rire muet mais ostensible).

NOURDINE : Fais voir, Joseph, allez, fais voir, putain, quoi !

Crastaing ne nous disait pas autre chose, à nous autres les parents de ces élèves-là, mais à l'époque ses « corrigés » étaient plus moraux que sociologiques. À ses yeux, nous étions des sagouins qui ne méritions pas nos familles, tout simplement, et nos parents se crevaient la paillasse pour des ingrats qui n'étaient même pas fichus de témoigner de leur sacrifice dans la plus modeste rédaction. Son indignation était si forte que sa voix se brisait parfois dans un demi-sanglot. Il se taisait soudain. On eût dit qu'il rassemblait ses forces pour endi-guer toutes les larmes d'une existence La classe retenait son souffle. À la terreur que nous inspi-raient les fureurs glaciales de cet homme s'ajoutait alors un désespoir qui nous poursuivait hors de la classe, alimentait nos pires cauchemars, au point de me réveiller la nuit, comme si j'avais eu à vivre cette vie au lieu de la mienne. Mais le vertige de Crastaing ne durait que quelques secondes. Il re-trouvait ses esprits et son corrigé. Il bifurquait, sans crier gare, nous prenant tous à contre-pied. Ce qu'il fit encore ce jour-là, à seize heures et vingt-cinq minutes précises :

— Je serais curieux de savoir...

Il se retourna tout d'une pièce et se pencha au-dessus de Joseph Pritsky, déséquilibre menaçant, statue du Commandeur qui va réduire le coupa-ble en bouillie.

— Je serais curieux de savoir ce que vous fichez pendant mes corrigés, Pritsky.

Joseph n'a pas le temps de réagir, la feuille fau-chée à son ami Laforgue se trouve entre les doigts du professeur.

— Igor, je te jure, j'ai rien pu faire, expliquera-t-il plus tard, c'est allé très vite ! Et puis je voulais pas chier dans mon froc. Je te jure, j'ai cru que j'allais chier ! J'ai serré le cul, j'ai pensé à rien d'autre.

Pour suggérer l'ampleur du désastre, je pourrais décrire ce que Crastaing avait sous les yeux, mais il ne faut pas trop exiger des mots. Mieux vaut vous montrer la pièce à conviction, je crois.

Si vous voulez bien tourner la page...

CRASTAING SALAUD LA CLASSE AURA TA PEAU !

Voilà.

Certains silences ne se décrivent pas, et Crastaing savait parfaitement doser ce genre d'explosif. Finalement, il hocha une tête critique.

– Il y a du mouvement, c'est indéniable...

Il déploya le dessin devant la classe entière qui fut prise à témoin. Mais le témoin baissait les yeux. Le témoin aurait préféré se laisser abattre sur place plutôt que de jeter le plus petit regard sur l'arme du crime.

– Toutefois, l'inspiration date un peu.

Crastaing regagnait maintenant son bureau en repliant pensivement le dessin :

– Pritsky, prenez donc votre cahier de correspondance, je vous prie, et notez, pour lundi prochain : une petite conversation avec monsieur votre père.

Encore une de ses expressions à la naphtaline. Si la famille était morte depuis belle lurette, « monsieur votre père », apparemment, était increvable.

– Je me ferai un plaisir de lui remettre personnellement votre copie de néo-post-soixante-huitard attardé.

C'est ici qu'Igor Laforgue fit son entrée en scène. Sans bouger de sa place, sans émotion apparente, il déclara :

– Ce dessin est à moi, monsieur.

Crastaing posa des yeux incrédules sur Laforgue, et le silence s'ajouta au silence.

– C'est mon dessin, insista Igor.

Crastaing ébaucha un sourire compatissant :

– Soyez réaliste, Laforgue, vous n'êtes pas plus doué pour le dessin que pour le reste.

Laforgue ne baissait pas les yeux. Le genre de petit emmerdeur à jouer au bras de fer avec le regard des grands. La confrontation serait devenue passionnante si Nourdine Kader n'avait rompu le charme en dressant un doigt vibrant vers le ciel.

– Non, c'est moi qui l'a fait, m'sieur !

– Tiens donc, fit Crastaing sans s'émouvoir, ce n'est pas une classe de cinquième, décidément, c'est la villa Médicis.

– Non, m'sieur, c'est moi qui l'a fait !

– C'est moi qui l'*ai* fait, Kader ; on parle le français, s'il vous plaît.

(Mais non, mais non, pas le plus petit soupçon de racisme là-dedans : la même phrase prononcée depuis trente ans devant ceux qui martyrisaient la langue, voilà tout — n'importe qui, moi, par exemple. Crastaing datait de toujours et n'était de nulle part, la grammaire était sa seule patrie, française certes, mais en l'occurrence seulement.)

– Le français, Kader, essayez, rien qu'une fois. Pour me faire plaisir.

La sonnerie de fin de cours retentit sur le regard meurtrier de Nourdine Kader et toutes les classes du collège explosèrent.

– Kader, Pritsky, Laforgue, pas vous !

Cueillis dans leur élan, les trois garçons retombèrent sur leur chaise.

– Puisque vous revendiquez tous les trois le même dessin, vous allez me faire le même devoir supplémentaire. Pour demain matin. La solidarité, ça entraîne des conséquences.

Dehors, on entendait M. Foiriez, le conseiller d'éducation, beugler à tue-tête : « On ne court pas dans les couloirs ! » M. Lanval, le principal, essayait de tempérer ses ardeurs gyrophares : « Laissez, Foiriez... ça fait trente ans que je... autant pisser dans une épuisette... »

Crastaing avait pris une craie :

– Vos cahiers de textes, s'il vous plaît. Ce sera une rédaction.

Crastaing écrivait en dictant. Ses phrases zébraient le tableau. Il avait ce genre d'écriture électrique, orageuse, une succession d'éclairs, de la colère en biais, les accents et les points s'abattant en grêle sur les phrases formées.

Sujet :

Vous vous réveillez un matin et vous constatez que, dans la nuit, vous avez été transformé en adulte. Complètement affolé, vous vous précipitez dans la chambre de vos parents. Ils ont été transformés en enfants.

Racontez la suite.

Crastaing se retourna :

– Je dis bien *la suite* : ce qui se passe *après* !

Joseph Pritsky osa une question :

– Quel âge, les enfants, monsieur ?

Crastaing bouclait son cartable.

– Cinq à sept ans, pas plus.

NOURDINE : Et s'ils ont pas de parents, qui c'est qui se transforme en enfant ?

CRASTAING : L'adulte le plus proche.

Comme toujours dans les scènes cruciales, Crastaing se retourna sur le pas de la porte, doigt pointé, regard aigu :

– Pas de solution de facilité, s'il vous plaît ; ce n'est ni un rêve, ni les Martiens, ni une facétie de fée, c'est la *réalité* : vous adultes, et vos parents tout petits. Compris ? Pour demain matin, huit heures. Et n'oubliez pas : l'imagination, ce n'est pas le mensonge !

Exit Crastaing, avec cette façon de sortir bien à lui, comme une disparition.

Le premier à réagir fut Nourdine Kader. Il jeta son sac sur son dos et se rua hors de la classe. Laforgue le stoppa à la seconde où il allait franchir la porte.

– Nourdine !

– Quoi ?

– Pourquoi tu as dit que c'était toi, le dessin ?

Nourdine a haussé les sourcils ·

– Je m'intègre.

2

Et on vous dira que les enfants ont changé ! Si c'était le cas, un professeur comme Crastaing serait enfermé dans une clinique toute blanche, à recoller les morceaux d'une identité pulvérisée au bazooka de la modernité enfantine. Or, Crastaing est bien là. Il règne comme un bloc et les gosses la ferment. Bien sûr, les enfants ont changé depuis mon enfance ! Ils sont devenus fluorescents, leurs baskets luisent quand ils pédalent dans la nuit, les walkman leur font des têtes de mouche et des surdités de vieux, ils parkinsonnent comme d'authentiques rockers, raccourcissent tifs et jupes dans l'espoir de se rallonger, bouffent le matin les graines des oiseaux et à midi l'ordinaire yankee, jurent comme on nous l'interdisait et s'envoient des films qu'ils nous défendent de voir.

Mais leurs cauchemars sont les mêmes que les nôtres à leur âge et les menus de leurs conversations itou : ils parlent de leurs profs ! Et, quand il s'agit d'un Crastaing, ils sont au plat unique. Écoutez plutôt Igor et Joseph (vingt-cinq ans à eux deux), les amis de toujours, les créchons de la première heure, Igor debout sur les pédales avant de leur tandem, et qui hurle dans la nuit tombante de la ville :

– Racontez la suite, racontez la suite ! Je t'emmmmmerde, Crastaing, la voilà la suite !

Derrière Igor, Joseph pédale et ne rit pas. Joseph pédale en cherchant des mots. Joseph tourne et retourne la phrase qui va devoir annoncer à l'autorité compétente « la petite conversation avec monsieur votre père »...

IGOR : Tu te rends compte qu'on risque de se farcir ce salaud de Crastaing jusqu'en troisième ?

JOSEPH (pédalant) : ...

IGOR : Tu réalises ?

JOSEPH (pédalant) : ...

IGOR : Oh ! Joseph !

JOSEPH : Parfaitement : neuf cent quatre-vingt-quatre heures de cours, cinquante-neuf mille quarante minutes, trois millions cinq cent quarante-deux mille quatre cents secondes.

IGOR : Arrête !

JOSEPH : J'ai eu le temps de calculer pendant ses cours : une rédac par semaine, trente-six rédacs par an, cent quarante-quatre rédacs en tout ! Sans compter les colles !

IGOR : Arrête !

Mais Joseph ne s'arrête pas, Joseph est lancé, Joseph sait que Pope Pritsky, son père, l'attend à la maison.

JOSEPH : Et toutes sur la famille : « Une soirée en famille », « La famille avant la télévision », « Qu'est-ce qu'une mère ? », « Votre sœur ou votre frère peuvent-ils être vos amis ? », « Retrouvailles familiales », « Le jardin de votre tante », « Le pied droit de votre cousine», «Le trou du cul de tonton», «Vos parents à cinq ans et vous en chef de famille»...

IGOR : Arrrrrrrrrrrête !

Ils s'arrêtent. À un feu rouge. Celui qui fait le coin des rues Sorbier et de la Bidassoa, pour être exact. Une limousine gris costume vient se glisser entre le trottoir et leur silence. Le chauffeur est un chauffeur à casquette, et le type derrière, un blond à lunettes, a dû naître dans son attaché-case. Pas le genre de bagnole qui hante le quartier, d'habitude. Igor et Joseph se penchent donc aux vitres fumées, ils inspectent l'intérieur comme on fait le compte des poissons rouges. Le type de derrière est plongé dans un journal financier. Encostardé, cravaté, lunetté, il ne moufte pas. L'extérieur n'est pas son truc. Ces deux têtes de gosses aplaties contre sa vitre ou deux mouches, c'est du pareil au même. Les enfants font partie de la nature et la nature n'est pas à son programme. Alors, Igor, index replié, frappe trois petits coups sur le bocal.

La vitre se baisse, majesté électrique.

– M'sieur ?

Pas de réponse.

Igor n'est pas du genre à ne pas insister.

– Hé, m'sieur ! Comment vous étiez, quand vous étiez petit ?

C'est le chauffeur qui répond, sans se retourner, l'œil rétroviseur :

– Mieux élevé que toi, en tout cas. On fichait la paix aux adultes.

Igor répond aussi sec

– Tu veux que je te dise, mon pote ? L'imagination, c'est pas le mensonge !

Deux autres yeux jaillissent alors au-dessus du
journal financier. Deux petits yeux cerclés d'or fin :

– Casse-toi, petit con, ou je vais te tanner le
cul.

C'est très inattendu et parfaitement sincère : un
méchant authentique, pâle et glacial, de ceux qui
vous aplatissent un garçon de douze ans à coups
de tisonnier sans faire une seule tache sur leur
costume. Du coup, Igor choisit sa réplique dans
un film de Scorsese. Il se penche et chuchote,
avec un sourire de murène :

– C'est dingue, ce que j'ai peur !

La portière s'est ouverte si vite que le pied de
Joseph a tout juste eu le temps de la refermer. Le
bruit d'une tête entre le montant de la fenêtre et
la tôle de la voiture, des lunettes qui valsent et la
portière avant qui s'ouvre à son tour... Mais Igor
et Joseph sont déjà de l'autre côté de la rue, leur
tandem sur leurs épaules, à dévaler les escaliers
vers la rue des Plâtrières, secoués du fou rire par-
ticulier de la terreur.

– Putain, le dingue, dis, un tueur, un vrai !

Le feu passe au vert, les klaxons s'en mêlent, le
« tueur » s'éponge le pif, le chauffeur ramasse les
lunettes et demande si monsieur va, les portières
claquent, la vie reprend son cours, emportant sur
ses sièges de cuir fin un héritier on ne peut plus
dynamique qu'une rupture d'anévrisme anéantira
douze ans plus tard, au cours d'un conseil d'administration — parfaitement maîtrisé, au demeurant.

★

Et Nourdine ? Nourdine Kader ? Quid de Nourdine Kader ? Est-ce un enfant différent, lui ? Demi-Beur de la deuxième génération, maman savoyarde enfuie avec un postier de passage, père marocain, taxi, dépressif, frangine unique et qu'il juge tyrannique, est-ce un enfant différent de l'enfant que je fus, lui qui n'a rien à voir avec ce que j'étais ? Tu parles... Nourdine est en train de faire exactement ce que j'ai fait à son âge, un jour où Crastaing m'avait humilié un peu plus soigneusement que d'habitude.

Nourdine s'est mis en tête de suivre Crastaing. Il est passé, blême de rage, devant Lanval, le principal, et Foiriez, le conseiller d'éducation (« On ne court pas dans les couloirs »), il est sorti sans les saluer (« Et alors, Kader, on ne dit pas au revoir ? — Laissez, Foiriez, laissez... »), il a enfourché sa mobylette pourrie, il est allé se planquer au coin de la rue, et, une heure plus tard, quand Crastaing a quitté le collège, il lui a filé le train, puis a suivi le bus dans lequel Crastaing est monté, puis a enchaîné sa mobylette à l'arrêt de la station où Crastaing est descendu, puis a continué sa filature à pied, jusqu'à ce coin de rue où Crastaing vient de tourner, et où Nourdine va découvrir exactement la même chose que moi en cette soirée lointaine où ce même coin de rue fut le premier tournant de ma vie. Nourdine est là, debout, scié, entre extase et frayeur, devant une double rangée de filles vêtues selon le principe de la bouteille à moitié vide ou à moitié pleine.

Nourdine vient de découvrir l'Allée des femmes.

La nuit était tombée, une lumière de réverbère satinait toute cette peau, une rue bien droite mais toute de seins, de hanches, de bras, de cuisses, de genoux, de mollets et de chevilles nus, une rue aux plates façades mais aux courbes tendres et aux volumes généreux, une rue de pierre mais au sang chaud de la vie, et si Nourdine Kader ne connut pas là sa première érection, c'est que ce devait être la deuxième. Il lui fallut attendre que se calme le tambour de ses tempes et que son cœur retrouve sa place dans sa poitrine. Crastaing avançait, là-bas, ne regardant ni à droite ni à gauche. Les filles non plus ne le regardaient pas. Ou, plus exactement, les filles faisaient en sorte de ne pas regarder Crastaing... et que je me lime soudain un ongle, et que j'ajuste nerveusement un bas, et que je trouve un truc urgent à dire à Samantha, et que je note tout de suite le téléphone de Jamon... Crastaing avançait dans une allée de filles aux regards si fuyants que Nourdine les prit toutes pour d'anciennes élèves. Nourdine trouva dans cette idée, qui les lui rendait presque familières, le courage de s'engager à son tour dans l'Allée des femmes. Je dis l'« Allée des femmes » parce qu'à l'intérieur de ma tête je n'ai jamais nommé cette rue autrement et qu'il n'est pas question que je fourgue une si bonne adresse à une jeunesse déjà trop avancée pour son âge. Donc, Nourdine filait son professeur dans l'Allée des femmes. Sa discrétion ne passait pas inaperçue.

– Oh, mais c'est du tout neuf, ça !

– Il est pas du quartier, celui-là...

– C'est la DDASS qui t'envoie, bijou ?

– Tu viens casser ta tirelire ?

– Encore du mineur pour nous détourner...

– Jeannette, c'est pour toi : une inauguration !

Toutes voix qui se turent lorsqu'une voix plus ancienne appela, haut et clair dans la résonance des façades :

– Albert !

Crastaing s'arrêta pile et Nourdine se coula dans l'ombre d'une porte.

– Viens un peu par là, Albert.

La femme qui prénommait Crastaing en lui clignant de l'œil aurait pu être la mère de toutes les autres. Une bonne maman qui les aurait nourries au sein et vêtues comme il faut, sur le modèle maternel. Vingt ans de plus que ses filles, au moins, mais qui tenait encore son trottoir comme aucune. Un vaisseau !

Nourdine venait de faire la connaissance de Yolande, comme moi trente ans plus tôt, et dans les mêmes circonstances. Je reviendrai sur Yolande, mon meilleur professeur, toutes matières confondues, mais pour l'instant c'est ce qu'elle dit à l'oreille de Crastaing qui nous intéresse, et Nourdine ne peut pas l'entendre.

– Albert, mon grand, y a une petite nouvelle au 63. Agnès, elle s'appelle.

Tout ce que vit le garçon, ce furent les yeux de Crastaing qui filaient en biais sur le trottoir d'en face vers une fille d'une beauté si blonde et si réservée que Nourdine la crut sortie d'un de ces

32

contes que lui lisait sa sœur Rachida, quand, tout
petit déjà, elle travaillait à son intégration. Oui,
c'est la petite sirène, fit la voix de Rachida dans
la mémoire de Nourdine : ... *La plus jeune était la
plus belle, sa peau avait l'éclat limpide d'un pétale de
rose...*

– Une nouvelle... Voyez-vous ça, murmura
Crastaing.

Crastaing hocha un remerciement, traversa la
rue et se posa devant Agnès. Il la regardait en se
taisant. Elle fini par bafouiller

– Je te... Je vous emmène ?

Crastaing se taisait. Il toisait la fille. On aurait
juré qu'il lui rendait la plus mauvaise rédac du paquet. Enfin, il demanda :

– Agnès, c'est ça ?

Nourdine serrait ses poings dans ses poches.
Moi aussi j'avais serré les poings dans mes poches. J'avais même un canif dans mon poing
serré. Oui... un canif... J'avais suivi Crastaing, le
manche blond d'un Opinel dans mon poing
fermé... Crastaing stimulait ce genre de tentations
chez certains de ses élèves. Mon poing serré
n'avait pas empêché Crastaing de monter avec
Yolande, comme il disparaissait maintenant derrière Agnès, après un coup de menton vers l'escalier :

– Voyons un peu...

Nourdine aurait volontiers bondi au secours de
la petite sirène, mais quelque chose venait de se
refermer sur lui, quelque chose d'incroyablement
tiède, moelleux, parfumé et rigolard :

– Alors, p'tit Lu, tu viens faire tes devoirs ?

3

— Ah non ! Ça, non, Joseph, aller voir ton prof de français, moi ? Plus jamais ! Je t'avais prévenu ! Tenez-vous droite, maman Stilman, ne pliez pas la jambe !

Et voilà. Échec sur toute la ligne. Joseph n'est pas arrivé à vendre « la petite conversation avec monsieur votre père ». Pourtant, Pope Pritsky, le père en question, s'était montré assez encourageant quand Joseph avait franchi la porte de la boutique.

— Houlà, mais c'est une tête d'emmerde, ça ! C'est quoi, la connerie du jour ? On peut savoir ? Igor est dans le coup, bien sûr... Ne bougez pas comme ça, maman Stilman, ou je vais vous piquer le cul.

Pope Pritsky parlait en coin. De l'autre côté de la bouche, il avait un sourire plein d'épingles, vu qu'il ajustait une robe de deuil au corps immense de maman Stilman. Et maman Stilman, qui passait son temps à enterrer le Tout-Belleville, donnait les explications habituelles, avec sa minuscule voix de géante :

– Je m'excuse de venir si tard, mais tu sais ce que c'est, Pope Pritsky, les morts, ça ne prévient pas.

Derrière le comptoir, Moune rigolait en douce. Pope et Moune Pritsky connaissaient maman Stilman par cœur. Ils auraient pu réciter son texte à sa place : « Notez, j'ai juste un peu forci depuis la mort de tante Sarah... Allez, ça tiendra bien jusqu'au départ de Mme Fâ, elle est bien bas, Mme Fâ, vous ne trouvez pas ? » Franchement, Joseph ne pouvait espérer meilleure occase pour glisser le carnet de correspondance sous l'œil de Pope et lui fourguer la petite conversation avec monsieur votre père.

Rien du tout. Joseph n'avait pas prononcé trois mots que Pope avait failli en avaler ses épingles.

– Je ne signerai pas et je n'irai pas ! La dernière fois c'était la dernière fois, je t'avais prévenu ! Faut toujours vous mettre les points sur les « i », à vous autres, les mômes !

Et maintenant, Joseph se tenait debout, en pleine défaite, le carnet de correspondance ouvert devant un Pope liquéfié par la peur. Une peur bleue, maquillée en rage impuissante. Ça non plus, ça n'a pas changé. Je l'ai vécue avant Joseph, cette pétoche des parents devant les convocations de Crastaing. Crastaing, c'est la mort du père. Celui par qui le papa le plus coriace cesse d'être le Superman de votre enfance. Oh ! la première fois, pas de problème, ils y vont, à la convocation de Crastaing, les pères. En râlant, certes, comme il se doit, contre leurs gosses bien sûr, mais contre ces profs, aussi, qui ne sont pas foutus de faire le ménage dans leur classe, ils y vont en roulant leurs splendides mécaniques intérieures, ils jurent leurs grands dieux qu'on ne les déplacera pas pour rien, qu'ils ont autre chose à foutre, et que si ce prof n'est pas capable de faire son métier, ce n'est pas une raison pour qu'il vous empêche de faire le vôtre... Oui, un appétit à bouffer l'Éducation nationale, une résolution de chef de meute aussi, touchez mon gosse pour voir, essayez un peu... Ce genre de monologues qui gonflent tant de jabots... Ils y vont, les pères... mais il faut voir dans quel état ils en reviennent ! À croire qu'ils ont touché le fond des abysses. Et la tête qu'ils font à la *deuxième* convocation de Crastaing ! Pas une petite appréhension, non, pas de l'inquiétude vague, de la pétoche métaphysique, de l'effroi sans paroles, de l'épouvante qui réveille la nuit !

Et que peut faire un Joseph Pritsky quand il lit ça dans les yeux de Pope Pristy son père, réputé n'avoir peur de rien ? Tout juste triturer son carnet de correspondance, sans la moindre conviction :

— Pope, si tu ne signes pas, il dira que je ne te l'ai pas montré et il me foutra une colle. Déjà que j'ai une rédac à faire pour demain...

— Justement, si je signe, il saura que tu me l'as montré ; si tu me l'as montré, il faudra que j'y aille ; et si j'y vais...

Le reste est destiné à maman Stilman :

— Mais arrêtez de bouger comme ça, bon Dieu. Vous avez des souris dans votre culotte, ou quoi ?

Maman Stilman regarde très en dessous d'elle cet homme qu'elle a vu naître, et jouer dans la cour, et grandir jusqu'à sa bar-mitsva, et reprendre la boutique de l'oncle Siedel, mais dont la voix tout à coup fait monter des larmes jusque dans ses yeux, tout là-haut, comme si elle ne le connaissait pas.

– Et ne me pleurez pas dessus, hein !

Maman Stilman refoule, tandis que Joseph se demande une fois de plus ce qui donne cet air enfantin à la plupart des géants, quand les nains attrapent dès leur naissance des visages tellement adultes. C'est qu'il s'y connaît, en géants et en nains, Joseph Pritsky, fils de Pope Pritsky, tailleur pour *Personnalités vraiment exceptionnelles (et toutes autres façons)* comme dit l'enseigne de la boutique. Mais à quoi bon la connaissance ? Joseph entend déjà la voix de Crastaing s'il lui servait le double paradoxe des nains et des géants. « L'imagination, ce n'est pas le mensonge, Pritsky ! Combien de fois faudra-t-il vous le répéter ? »

– Si tu aimes tellement les devoirs supplémentaires et passer tes samedis en colle avec Igor, ça te regarde. Moi, je n'irai pas voir ton prof, je ne veux plus jamais entendre les conneries de ce schmock.

Bon. Le dialogue vaut mieux que le silence, même sur ce ton.

– Ce schmock, papa ?

Joseph a su placer le sourire qu'il fallait sur ses lèvres. Mais non. Pope son père lève sur lui un regard hanté.

– Ce schmock ? J'ai dit « ce schmock » ? Non, mon fils. Ce golem !

Pope Pritsky ne bouge plus. Il lui reste deux épingles dans la bouche. Il répète, dans une sorte de grondement :

– Ce golem.

– Et qu'est-ce qu'il dit, le sujet de ta rédac ?

C'est Moune qui vient d'intervenir. Le visage charmant de Moune la mère, sa voix délicieuse et stratège. Désamorçons, désamorçons, on avisera plus tard.

Le sujet ? Le sujet de la rédac ? Va pour le sujet de la rédac. Joseph lui récite le sujet de la rédac.

– Pope et moi tout petits et toi adulte ? C'est plutôt rigolo, pour une fois, non ?

C'est ça... rigolons.

∗

Pendant qu'Igor Laforgue, son cartable sur le dos et deux sacs à provisions dans les bras, grimpe quatre à quatre les escaliers de son immeuble, en braillant la comptine des mauvais jours :

Un, j'emmerde Crastaing !
Deux, je fais c'que j'veux
Trois, j'ai tous les droits !...

Poème à quatre étages mais interrompu au palier du troisième par la dégringolade d'une valise suivie d'un type qui descend comme on se jette dans un puits pour éteindre un incendie personnel. Penché sur la rampe, Igor admire la spirale du fuyard.

– Tu ne dînes pas avec nous ? J'ai fait plein de courses !

Une écharpe et un manteau prennent le raccourci de la cage d'escalier.

38

– Non, il dîne pas.

Une porte claque, à l'étage supérieur, qui laisse miraculeusement l'immeuble debout. Igor grimpe les dernières marches plus lentement, introduit la clef dans la serrure avec des précautions de démineur, passe une tête prudente dans l'entrebâillement :

– Cessez le feu ! Croix-Rouge internationale !

Pas de réponse ; le premier silence d'après la bataille, celui qu'on appelle assez justement un silence de mort. Le fuyard n'a pas eu le temps de boucler sa valise, ou alors il a semé les traces du Petit Poucet dans l'espoir d'un retour sans rancune : une cravate, une chaussette, deux mouchoirs de batiste dont un usagé... Igor les ramasse sans émotion, le long du couloir, comme une mère de famille en fin de journée, jette le tout dans le panier à linge sale de la douche, pose les sacs à provisions dans la cuisine, se libère de son cartable, sort le lapin, les pommes de terre, la crème fraîche, la noix muscade et dit à voix très haute, en disposant le tout sur le plan de travail :

– Bon, résumons-nous : quatre en six mois !

Silence. Igor dessine un quatrième petit pendu sur l'ardoise dite des commissions :

– Frédéric Chassériaux : entrée le 10 juillet, sortie le 3 août. Vingt-quatre jours. Motif : nous bassinait avec la cuisine de sa mère.

Silence. Laguiole contre pommes de terre, Igor entame sa corvée de pluches. Coup d'œil à l'ardoise des éjectés :

– Pascal de Gancieux, très chic, mais se frittait

avec le fils de la maison : 17 septembre-3 octobre. Seize jours.

Qu'est-ce que c'est encore que ces patates ? Leur peau s'enroule autour de la lame comme de la peau de pomme...

– François Langevin, disparu le 8 novembre. Qu'est-ce que tu lui reprochais, déjà, à Langevin François ?

Pomme de terre sur lame de fer, ça donne un petit jus noirâtre qui disparaîtra au rinçage... Casserole et flotte... Voilà.

– Ah oui, ronflait la nuit et bouffait de l'Arabe le jour...

Igor travaille debout et vite. Il ne le sait pas encore, mais bien des années plus tard, ce silence complice autour de ces monologues de fin d'enfance constituera un de ses souvenirs les plus tenaces. Quant à savoir si c'est un bon souvenir ou pas...

– Et le dernier de ces messieurs ? J'ai croisé sa valoche dans l'escalier. Trois jours, il a tenu ! Un record !

– Justement, il n'est pas passé une seule fois sous la douche en trois jours.

Igor tourne sans surprise un petit quart de tête. Sa mère, Tatiana, est accoudée au chambranle de la porte. Elle allume une cigarette. Elle complète :

– Je déteste les hommes sales sous des vêtements propres.

Difficile d'imaginer une femme capable de lourder un homme si vigoureusement quand on voit cette espèce de jeune fille maigrichonne et fébrile qui clope comme un cendrier et regarde, avec une tristesse d'outre-tombe, son enfant jouer les grands.

Profession de la mère : conseillère conjugale pour magazines féminins, courrier du cœur quoi

La pomme de terre fait un saut de carpe jusqu'à l'eau de la casserole. Les deux mains posées sur le plan de travail, Igor, pour la énième fois, s'apprête à creuser le mystère.

– Mais qu'est-ce que tu leur conseilles, à tes lectrices, maman ? Le karaté ? Le full contact ? Ou alors tu goûtes tous les hommes avant de les leur recommander ? Comme un critique de restaurant.

Tatiana s'en vient prendre une pomme de terre et un autre couteau.

– Mes lectrices ? Je leur parle de ton père, Igor. Incognito, hein ! Elles ne le savent pas, mais c'est ton père et moi que je leur décris. Ça marche très bien. Même avec les plus désespérées.

Et, dans la foulée :

– Qu'est-ce que tu nous prépares de bon ?

– Lapin aux olives, purée muscade. nutmeg

– Formidable.

Une deuxième et une troisième pomme de terre rejoignent la première dans l'eau claire de la casserole. Et puisque, patate et couteau à la main, Igor joue son rôle de grand, il en profite pour donner à Tatiana sa séance de thérapie quotidienne.

– Justement, maman, c'est ça qui déconne. Tu cherches un type qui serait le jumeau de papa. Et comme tu ne trouves pas, tu prends n'importe qui, tu tapes dans le contraire, tu te fais un mal terrible...

Non, non, la question n'est pas de savoir s'il est « convenable » de laisser un gamin de douze ans et quelques juger de la sexualité de sa mère, ni s'il est « réaliste » que le même mouflet s'offre une incursion dans la chasse gardée de la psychologie adulte. Dix-sept mois maintenant que nous sommes au-delà du désespoir dans cette famille, alors ne nous faites pas chier avec le convenable et laissez la réalité juger du réalisme ! Était-il convenable qu'un type de trente-huit ans franchisse à peu près sain les portes d'un hôpital et en ressorte contaminé jusqu'à l'os par ceux-là mêmes qui devaient se contenter de lui ôter les amygdales ? (Les amygdales à trente-huit ans, parfaitement ! Ça arrive. Et, quand on s'y prend comme un boucher, ça saigne !) J'aurais beaucoup à dire sur la mort et le bon goût ! Quant au réalisme... Le réalisme est la seule considération qui ait empêché Igor Laforgue — à peine onze ans à l'époque — d'aller ouvrir le ventre du chirurgien transfuseur qui venait de le faire orphelin, avec une mère à charge et un Everest de chagrin à gravir. Il avait même songé à utiliser un bistouri, Igor, si vous voulez tout savoir. Il ne mesurait qu'un mètre trente-deux et avait monté son coup au quart de poil. Il avait calculé le jour, l'heure, le moment. Il ne pesait que trente-trois kilos et s'était procuré le bistouri en question. Et puis, il avait renoncé à couper le chirurgien en deux, au nom du réalisme, justement, en parlant avec Joseph, parce que, au-delà du chirurgien, d'après Joseph qui le tenait de son cousin Rabbi Razon, le rabbin de la rue Vieille-du-Temple, si on ouvrait le chirurgien il faudrait étriper la hiérarchie hospitalière tout entière, et de l'hospitalier passer au politique, et du politique à tous les salopards de la chimie industrielle... et qu'à onze ans, un mètre trente-deux et trente-trois kilogrammes, c'est une tâche dont l'inefficacité rebute... sans parler de Tatiana, du chagrin qui se serait posé sur le chagrin de Tatiana.

Alors foutez-nous la paix avec les convenances et le réalisme, et revenons à ce qui se dit dans cette cuisine, la nuit d'hiver maintenant tombée sur Paris et Igor jouant du presse-purée :

– Tu ne trouveras jamais le même que papa. Il était trop...

Sourire lointain.

– Il était trop parfait dans son genre.

Et voilà. Je connais la suite. On va laisser monter le chagrin dans l'allée du bonheur.

– Tu n'en trouveras jamais un aussi drôle...

Arrête, Igor, sur ce terrain-là, ce qui fait le plus de bien fait le plus de mal, tu le sais !

– Ni un qui m'aime autant.

Le tout en tournant la manivelle du presse-purée, exactement comme si on parlait du mort d'en face.

– Mais il avait un gros défaut, maman.

Tatiana se raidit, imperceptiblement.

– Il était mortel.

Et c'est la catastrophe, la rupture de barrage, les sanglots dans la purée, sous l'œil impuissant du lapin, le débordement de la douleur.

– Et il est mort, maman !

Curieux, le chagrin. Le plus authentique des

chagrins se défend contre lui-même en faisant des phrases. C'est cela, peut-être, la nécessité littéraire, ce besoin vital d'écrire autour... Il n'y aurait qu'à mourir avec les morts, autrement.

– Mort, maman ! Mort, putain de merde ! Transfusé, mort et enterré ! On ne le verra plus jamais se gratter le cul dans son pyjama !

Igor sanglote maintenant dans les bras de Tatiana. Un enfant pleure dans les bras de sa mère.

– Je ne veux pas grandir, maman, je suis déjà trop grand...

Dieu soit loué, il pleure sur des phrases de son âge : c'est la victoire des convenances et du réalisme. Tout est dans l'ordre, on peut tourner la page et passer chez les Kader.

★

Chez les Kader, ces assiettes qui s'entrechoquent, ces couteaux et ces fourchettes qui ferraillent ne disent rien de bon sur l'humeur de Rachida, la grande sœur de Nourdine. C'est de la vaisselle nerveuse, du silence qui parle, de l'aprèsdîner menaçant. D'abord, le petit frère, Nourdine, qui rentre à pas d'heure, sans un mot d'explication, qui vient tranquillement se mettre les pieds sous la table comme si les femmes n'avaient pas le droit de vote, ensuite le père qui ne dit rien, ni d'où tu viens ni tu as vu l'heure, ni quoi ni qu'est-ce, qui monte du garage tout barbouillé de peinture, qui avale sa graine et qui redescend, muet comme une taupe, et maintenant Nourdine qui fait le crétin à mâcher son Bic au-dessus de son brouillon, parce que, en plus, il s'est bloqué un devoir supplémentaire pour demain, une rédaction, et tout ce qu'il trouve à dire au cas où il grandirait dans la nuit et où papa redeviendrait petit (six ou sept ans), c'est que lui, Nourdine, il emprunterait les rollers de Mouloud ou la vieille paire de patins à Bertrand (le fils des voisins, vaut mieux pas en parler) et qu'il irait « s'éclater sur la plaque » avec les copains.

– Ah bon ? Parce que toi, dès que tu es transformé en adulte, tu prends tes rollers pour aller jouer sur la plate-forme ?

– Forcément, y a plus école, puisque je suis devenu grand !

Il le fait exprès, c'est pas possible... Cette tête d'abruti qu'il prend pour répondre ça ! C'est la grande énigme pour Rachida, la tête de son frère à ces moments-là. En deux mots, est-ce qu'il est aussi bête qu'il en a l'air ? Et pourquoi uniquement à l'heure des devoirs, le soir, dans la cuisine ? Hein ? Sa tête fonctionne drôlement vite, le reste du temps ! « Il te fait un refus scolaire (c'est Mireille qui a dit ça, au bureau), il te fait un refus scolaire, comme mon neveu, ça peut lui passer ou pas, c'est selon, mon neveu il a même jamais pu apprendre à lire, pourtant il faut le voir réparer le grille-pain ! » Refus scolaire, comme si on avait les moyens de refuser le scolaire... Mireille est une conne, elle n'a pas fait de refus scolaire, elle, mais c'est une conne de première classe, avec son neveu et son grille-pain !

La vaisselle parle de plus en plus fort, elle se

noie à gros bouillons, elle pèle de froid dans l'égouttoir... du roller sur la plate-forme... je t'en foutrai, du roller sur la plate-forme !

– Il n'y a peut-être plus école, mais il y a une maison à t'occuper, figure-toi, et un père à élever, un père et une mère, parce que si je lis bien le sujet, maman aussi est redevenue petite, et a cinq ou six ans elle s'est pas encore refaite avec le gars de la poste, maman, et puis il y a moi ; dès que tu deviens grand, moi je me casse, la grande sœur va se reposer, se trouver un F2 bien tranquille, arrêter de se crever pour cette maison de feignants, arrêter de faire faire ses devoirs à un frère qui pense qu'à déconner au lieu de s'intégrer comme il faut et qui rentre après la nuit ! Où tu étais, hein ? Où tu étais ? Ça commence ? Ça commence, la vie n'importe comment ? Comme tous les autres ?

C'est le sifflement avant l'explosion. Nourdine sait qu'il est trop tard pour couper la mèche, mais il essaie quand même, c'est dans sa nature, ce n'est pas un homme de guerre, Nourdine, et puis les explosions de Rachida, franchement, vaut mieux éviter. Alors il met de l'amour fraternel dans ses yeux, et ronronne, avec un doux sourire :

– Rachida...

– Appelle-moi Hélène !

Tiens, c'est nouveau, ça ! Hélène ? Ça vient de sortir. Nourdine tourne le prénom dans sa bouche... Hélène ?... Il l'arabise un chouia, histoire de voir ce que ça donne : R'Hélène ? Kr'Hélène ? Pas mal, Kr'Hélène... Plutôt marrant. Alors, il lève un regard candide et demande :

– Kr'Hélène ?

L'éponge de la vaisselle explose sur le mur, juste à côté de sa tête, et des auréoles de lessive étoilent son cahier de brouillon.

– Ça va pas, non ?

Mais le doigt pointé de Rachida (ou d'Hélène, ou de Kr'Hélène, je ne sais plus) le cloue sur place. On dirait que le bras tendu de la grande sœur traverse toute la cuisine.

– Te fous pas de moi, Nourdine. Surtout, te fous pas de moi ! Et réponds, quand je te pose une question. Où tu étais, hein ? Qu'est-ce que tu faisais ?

C'est râpé. Rien à faire. Alors, comme toujours dans ces cas-là, on aggrave. Nourdine se lève d'un bond, sa chaise valse, il fourre ses affaires dans son sac, et gueule :

– J'étais aux putes ! Voilà où j'étais ! J'ai niqué une grosse pute bien intégrée !

Ce qui est pur mensonge parce que, je peux en témoigner, quand les bras de la fille se sont refermés sur lui, Nourdine s'est tortillé en poussant une sorte de couinement et a foutu le camp comme un mulot terrorisé. D'autant plus déplorable, cette déroute, qu'une fois sur sa mobylette, il a su clairement que c'était là le premier vrai regret de sa vie.

– Et j'y retourne, si tu veux le savoir !

La porte a claqué. Nourdine est déjà dans l'escalier. Il a bel et bien l'intention de retourner à l'Allée des femmes. Plus besoin de Kr'Hélène pour faire ses devoirs. Il a une adresse, maintenant ! Une dame qui ne demande pas mieux. Il a encore le velours de sa voix dans l'oreille. À moins qu'il n'aille trouver Agnès, la petite sirène. C'est déjà quelque chose de savoir le prénom d'une fille ! Et sauver la petite sirène des nageoires de Crastaing, si ça se trouve. Toutes pensées qui bourdonnent en lui quand il déboule dans le garage. Il fonce direct vers sa mobylette, mais quelque chose l'arrête.

Le silence des lieux...

L'immobilité de l'air...

Ce parfum de couleur...

Il y a là Ismaël, son père. Et qui peint. C'est beaucoup plus que la prière, la peinture d'Ismaël. Ça ne demande rien à Dieu ni à personne. Depuis qu'Ismaël a remplacé la prière par la peinture, le garage est devenu l'endroit le plus paisible de la maison, de la rue même, de Belleville peut-être, de la France, va savoir, du monde, de l'univers ! Comme si Ismaël arrêtait le monde entier ici, oui, dans le secret de ce garage, armistice général, plus rien ne bouge, on se calme, on respire... ainsi murmurent les pinceaux d'Ismaël... Six mois qu'Ismaël a vendu le taxi pour s'enterrer dans le garage, avec ses pinceaux, sous le niveau des hommes, et il n'y a pas d'endroit où la lumière soit plus paisible qu'entre les murs peints du garage d'Ismaël : la soie de ses pinceaux met le soleil au mur... Nourdine s'est approché de son père. Il y a le poêle qui rougeoie comme un brasero de coin de rue, il y a Ismaël debout sur une mer bleue, et qui peint les rayons du soleil sur les pales de la bouche d'aération.

– Il est beau, ton soleil, papa.

Longtemps, maintenant, qu'Ismaël ne parle plus. Depuis qu'il a donné la vente du taxi à Rachida pour faire aller la maison et qu'il est descendu au garage avec sa boîte de peinture et son matelas. Ismaël pose juste sa main libre sur l'épaule de son fils et tous les deux regardent les pales du ventilateur jeter la lumière sur ce qui en demande.

– Répète ce que tu viens de me dire. Redis-le, pour voir !

Nourdine a juste le temps de se retourner, la gifle de Rachida lui remet la tête à l'endroit. Il ne sait pas trop comment, mais la clef à molette saute de l'établi dans sa main, et la poigne d'Ismaël saisit juste à temps le poing armé de son fils Nourdine, levé sur sa fille Rachida.

Rachida n'a pas eu peur. Elle les regarde tous les deux. C'est au père qu'elle parle, maintenant :

– C'est ça que tu veux ? Un garçon qui va aux putes et qui insulte sa sœur ? Il n'y a donc plus d'homme sur la terre ?

Ce n'est pas ce qu'elle voulait dire. Elle voulait dire quelque chose comme « Il n'y a plus d'homme à la maison », mais elle a dit « sur la terre », et sans qu'elle sache pourquoi sa colère tourne au désespoir :

– Oh ! Cette peinture ! Cette peinture !

Les deux mains de Rachida saisissent la boîte aux peintures. C'est un geste comme Moïse brisant les tables de la Loi. La boîte ouverte jetée dans le poêle fait une lumière de fin du monde.

★

Ne cherchez pas. Ce môme qui godille entre les bagnoles, sur sa mob déglinguée, qui grille sciemment les feux les plus rouges et torture la nuit parisienne, c'est Nourdine Kader. C'est vrai, c'est vrai, il pourrait faire réparer son pot d'échappement, tout de même... mais non, c'est faux, il ne pourrait pas.

4

– Alors, tu signes ?

Le truc de Moune (Jeannette Pritsky, Jeannette Joncheville de son nom de jeune fille) est assez simple. À la portée de bien des femmes, épouses, compagnes ou simples camarades. À ceci près qu'avec le même homme ça marche deux ou trois fois — un peu plus si affinités —, alors que chez Moune ça fonctionne depuis quinze ans, montre en main. Quinze ans sans une seule panne de Pope Pritsky, là est le génie de Moune. Il y a pourtant de la résistance, en face. Pope Pritsky s'est mis au lit et s'est planqué derrière son journal. Eh oui, s'informer, c'est se retrancher, n'importe quel père de famille vous le dira, à l'heure de la vaisselle. Le quotidien qui informe nous préserve de celui qui encombre. Il y a donc Pope, au lit, retranché derrière l'Information, et Moune devant lui, le carnet de correspondance du petit Joseph à la main.

– Tu ne signes pas ?

– ...

– Bon.

C'est là que les choses commencent vraiment.

Pour ce qui est de la lumière, Moune Pritsky s'en tient à la flaque dorée de la lampe de chevet où Pope s'abîme en lectures. Elle tient le carnet de correspondance d'une main et un stylo de l'autre. Sa jupe est tombée à ses pieds dès l'entrée en scène. Pope s'est toujours demandé comment elle réussissait ce tour-là. Apparemment, ses mains ne bougent pas, elle vous regarde droit dans les yeux, toute sérieuse dans son tailleur de boutiquière, et la seconde d'après elle vous noue deux jambes nues autour de la taille. Où sont passés la jupe et le reste ? Un bond, et la voilà accroupie à l'autre bout du lit, gentiment emboîtée sur deux pieds joints que Pope Pritsky n'a pas eu le temps de rabattre, et cette chaleur qui descend de Moune pour rayonner autour des orteils de Pope à travers draps et couvertures, et qui gagne les mollets de Pope, via ses chevilles maintenant incandescentes... c'est le début de la défaite.

– Non ?

Non. Moune parle à un journal. Mais un certain frémissement des pages lui souffle que la victoire est proche. Là encore, une question : comment peut-on conserver un visage et un buste à ce point angéliques quand le bassin se montre si diaboliquement inventif ? Combien y a-t-il de femmes dans la meilleure des femmes ? Pope Pritsky fronce les sourcils. Cette dernière question n'est pas dans le journal. Il ne vient pas de lire ça, il vient de le penser. Penser, c'est beaucoup dire... une sensation plutôt, qui se travestit en abstraction sans vraiment tromper son homme.

– Moune, arrête.

– Que j'arrête quoi ?

Théoriquement, ça devrait être exaspérant.

– Je ne signerai pas.

– Tu paries ?

– On n'a pas assez d'emmerdes comme ça ? L'anniversaire de ton père après-demain, c'est pas suffisant ? Il faudrait encore que j'aille me cogner Crastaing ?

– Allez, Pope... Tu t'en sors très bien avec mon père. Tous les ans tu le noies dans le champagne. Et puis, tiens, une proposition : tu signes et tu es dispensé d'anniversaires. D'accord ? À vie !

Proposition tentante...

Mais non, insuffisante.

– Ce Crastaing est un golem qui terrorise mon schmock de mari, voilà la vérité.

Cela dit en complainte ondoyante que le corps accompagne. Pope Pritsky tient bon encore un peu. C'est fichu, il le sait, un soutien-gorge vient de se poser en catastrophe quelque part, et, dès que tombera la barrière du journal, ce sera l'hallali, la curée des sens, le déchaînement procréatoire. Pope Pritsky soupire si fort que le journal prend le vent.

— « Garde-toi des jolies goys aux seins blancs... » Ma pauvre mère avait raison.

– « Le meilleur des juifs ne vaut rien... » Mon facho de père n'avait pas tort.

Elle est nue à présent, et tout à ce qu'elle fait. Mais le carnet de correspondance à la main, toujours. Et le stylo dans l'autre.

« Combien de temps puis-je tenir ? » Pour Pope Pritsky, toute la question est là : combien ? « Il

faudra que je chronomètre un jour...» Ça non
plus, ce n'est pas dans le journal.

– Il la fait sa rédac, au moins ?

– Il doit me la montrer demain matin avant de
partir. Sous peine de mort.

La chaleur gagne en ampleur, comme en
hauteur.

– Tu signes ou tu obéis à ta mère ?

★

Pendant que dans sa chambre, penché sur un
brouillon très blanc, Joseph Pritsky, le fils, se dé-
sespère de faire le désespoir de ses parents.

Il cherche une idée sous le cône de sa lampe.
Comme tous ceux de son âge, il s'est persuadé
très tôt qu'il n'a pas d'idées. Un garçon sans
idées, une bouteille vide sur le courant de la vie...
Vieux sujet de bagarre entre Pope et lui.

– « J'ai pas d'idées, j'ai pas d'idées » ! Tu n'as
pas besoin *d'idées* pour faire cette rédac ! C'est pas
des *idées* qu'il te faut !

Après le dîner, Pope s'est offert une vraie crise.
Il a saisi son fils par la peau du cou, il l'a entraîné
vers le grand meuble classeur, il lui a fourré dans
les bras la pile entière des albums de famille, et il
lui a montré la porte :

– Tu prends ça, tu files dans ta chambre, et tu
fais ta rédac. Tu ouvres, tu cherches, tu as tout le
monde là-dedans, tu as ta mère et moi tout petits,
tu as toute la famille, les juifs et les goys mélan-
gés, jusqu'à Jésus, jusqu'à Moïse, jusqu'à Abra-
ham, peut-être ! Alors ne te casse pas la tête avec

54

les « idées » ! Pour faire ce genre de devoir, c'est des « gens » qu'il te faut !

Joseph a libéré les « gens » de leurs alvéoles de carton. Ils gisent sur la pagaille de son bureau gens d'aujourd'hui et d'avant sa naissance, les premiers rôles et les autres, les cousins, les copains, les occasionnels, les en couleurs, les noir et blanc, les oubliés et les figures que la légende familiale résume en une seule anecdote, toujours la même : la tante Marie-Gervoise, par exemple, du côté de Moune, réputée n'avoir jamais fait l'amour avec son mari, mais qui, après la mort du « pauvre Justin », pique-niquait trois fois l'an sur sa tombe. Photo : vieille dame sépia et moustachue, quart de fesse sur coin de granit, extirpant une dînette d'un carton cylindrique.

— Elle trimbalait toujours le pique-nique dans un carton à chapeau, expliquait Moune. C'était ce qu'elle appelait « faire dame en toutes circonstances ».

Photos, photos... Parmi les stars, Joseph, bien sûr, Pope, évidemment, et Moune... Moune... Bouille de Moune à combien ?... Quatre, six ans ? Moune enfant, nue dans une bassine de fer-blanc, deux grosses mains d'homme qui tendent une serviette et le refus de sortir de l'eau dans le regard de la gamine. Cette espèce de détermination tendre, déjà. (C'est de moi, la « détermination tendre », ce n'est pas de Joseph, Joseph est sec devant son brouillon, pas d'idées, donc pas de mots.) Joseph ne pense à rien, Joseph trouve juste que Moune petite se ressemble *exactement,* et que ça ne lui facilite pas le boulot. Trente ans de plus mais les mêmes boucles, les mêmes fossettes, le même regard droit et vaguement amusé. La même fille, on vous dit. Trente ans de mieux, c'est tout. Si demain, devenu subitement adulte, Joseph devait se précipiter dans la chambre de ses parents, ce serait pour y trouver la même fille avec trente ans de moins, point final. Ça fait bref, pour une rédac. Quant à Pope, c'est pire. Pope ne se ressemble pas du tout. Différent à un point... Depuis sa bar-mitsva, la vie lui a recollé les oreilles et lui a fait une tête de poire. Un monstrueux développement des maxillaires au détriment des temporaux. Une gueule d'aboyeur au front étroit. Pas possible, c'est pas mon père. C'est pas mon père. Une idée que Joseph caresse volontiers après les engueulades de Pope Pritsky. Joseph se plante devant sa glace, au-dessus du lavabo, s'émerveille du satiné de sa peau, de la candeur de son regard, de l'ovale parfait de son crâne, oui, il s'aime assez, et non, ce gueulard hirsute et mal rasé qui l'a envoyé faire sa rédac dans sa chambre n'est pas son père, les photos le prouvent, il y a eu substitution à un moment ou à un autre, Pope est un imposteur, ou alors on s'est gouré à la maternité, on a fourgué Joseph à un autre père, oui mais, *mirouère mon beau mirouère,* Joseph a bel et bien les yeux de Moune, et l'idée que Moune ait pu le fabriquer avec un autre que Pope est interdite de séjour dans la tête de Joseph.

Et puis Pope... Les colères de Pope finalement sont des colères d'enfant. De ce point de vue, Pope n'a pas plus changé que Moune.

Toujours pas de quoi entamer un brouillon.

Photo : Moune à La Bourboule, onze-douze ans, traînant l'ennui d'une cure entre grand-mère et grand-père Joncheville, sapés comme des monuments. Grand-père Joncheville, pas de problème, il fait l'unanimité, c'est un sale con. Dès qu'il croise un appareil photo, il devient sa propre statue. Il a le sens de son éternité. Comme dit Pope, il aurait voulu naître dans le marbre. Et avec ça, il exige de ses petits-enfants qu'ils l'appellent « Papidoux ». Papidoux... Papidoux... Joseph a toujours trouvé que ça faisait papier cul.

Un jour, deux ou trois ans plus tôt, quand il était petit, Joseph a demandé :

– Pourquoi Papidoux ne m'embrasse que sur une joue ?

C'était un fait. Les cousins et les cousines, côté Moune, embrassés sur les deux joues, et lui, Joseph, sur une seule. Pourquoi ? Joseph n'avait pas obtenu la réponse tout de suite, mais après l'extinction des feux, en collant au bon moment la bonne oreille contre le trou de la bonne serrure :

VOIX DE POPE : Le petit a raison, ton père ne l'embrasse jamais que sur une seule joue. Tu veux que je te dise pourquoi ?

VOIX DE MOUNE : Dis toujours...

VOIX DE POPE : Il n'embrasse que sa joue goy, ce vieux con.

Joseph ne s'était pas expliqué le fou rire parental qui avait suivi, mais il y a des informations, comme ça, qui attendent en nous le jour d'être comprises.

À propos de l'autre joue, photo (couleur) : la photo de cousin Razon, côté Pope, Rabbi Razon, le rabbin de la rue Vieille-du-Temple, en pleine conversation avec un Indien yanomami. Ce n'est pas tellement l'Indien nu avec son roseau dans le nez qui frappe, sur cette photo, c'est la présence de cousin Razon, avec sa redingote, son taleth et ses tephillin en pleine forêt amazonienne. Un jour que cousin Razon dînait à la maison, Pope avait demandé :

– Samuel, je ne comprends pas. Qu'est-ce que tu vas foutre dans toute cette verdure avec des types qui ne seront jamais mes clients ?

Rabbi Razon avait eu une de ses réponses à lui ·

– Je vais prouver à Dieu l'existence de l'homme.

Bingo ! Voilà la solution ! Que Joseph téléphone à cousin Razon et la rédac est faite ! Cousin Samuel est le meilleur répondeur de la famille Ses réponses écrasent toutes les réponses. Il arrive même que son silence rende les questions inutiles.

Bien sûr, Joseph ne va pas lui fourguer le sujet de la rédac brut de décoffrage, mais, en l'interrogeant habilement...

Sitôt dit, Joseph sort de sa chambre, se glisse dans le couloir, décroche le téléphone portable. La main murmurante autour du combiné, Joseph explique à Rabbi Razon que c'est «pour un devoir», sans préciser, et qu'il aimerait bien avoir son opinion à lui, cousin Samuel, son opinion sur les grands et sur les petits, sur ce qui fait la vraie différence entre les adultes et les enfants, tout ça, quoi...

Rabbi Razon réfléchit un bon moment.

Finalement, il dit :

– Ce n'est pas simple, mon petit Joseph.

Il y a un autre silence, puis de nouveau la voix rêveuse de Rabbi Razon, toujours un peu comme s'il se parlait à lui-même :

– Ce qui complique tout, c'est que la plupart des enfants *font* les enfants, et que presque tous les adultes *jouent* aux adultes. C'est très difficile à évaluer, l'âge. Tu comprends ?

Joseph comprend parfaitement que Crastaing trouvera ça *insuffisant* – en rouge, dans la marge. Joseph avance un autre pion. Il explique à cousin Samuel que par certains côtés, lui, Joseph, trouve que Moune n'a pas changé depuis ses premières photos et que Pope, « mais est-ce que j'ai le droit de dire ça de mon propre père ? », est encore un enfant, surtout quand il l'engueule. « parce qu'il m'engueule quand il a peur, vous comprenez ? C'est quand il a très peur qu'il me gronde. Comme un enfant ! »

Nouveau silence de Rabbi Razon.

Assez long, cette fois.

– Tu n'es pas bête du tout, mon petit Joseph. Et le respect, tu l'as. Et l'intelligence aussi. Tu viens de comprendre quelque chose d'essentiel.

... Il y a des moments dans la vie où on donnerait n'importe quoi pour savoir ce qu'on vient de comprendre d'essentiel.

– L'homme est une constante variable, mon petit, voilà ce que tu as compris ; c'est très bien, à ton âge.

Joseph note la phrase à toute allure sur son brouillon.

– Maintenant, excuse-moi, tu sais que le vieux

Babish est mort ce matin, il faut que j'aille lui donner la main. Si on compte sur les larmes de maman Stilman pour lui remonter le moral... Et c'est mauvais, la dépression nerveuse pour un départ. Allez, je te laisse.

Voilà, Rabbi Razon a raccroché.

Sur le brouillon de Joseph, une seule phrase : « L'homme est une constante variable. » Joseph n'est plus trop sûr de la comprendre. Mais, dans la marge, il lit déjà, en rouge : *Vous féliciterez l'auteur de ma part.*

5

Ce qui nous donne une nuit d'amour d'un côté, un élève maudissant son professeur de l'autre, et dehors une mobylette acharnée à tondre les nerfs de la ville. Plus haut, dans un pavillon rescapé des sommets de Belleville, une jeune fille se couche en se disant qu'elle n'y arrivera jamais. Où donc ? À quoi ? Hélène (ou Rachida) ne le sait pas. « Je n'y arriverai jamais », c'est tout... un but qui semble interdit à la deuxième génération... « Je n'y arriverai jamais »... une malédiction sur les épaules de la deuxième génération... « Ô fille de mon père, le fils du fils de ton fils sera toujours de la deuxième génération, et ses fils après lui, et les petits qu'engendreront leurs filles, seront de la deuxième génération, des deux côtés de la mer, pour toujours, et je le jure, la prochaine fois que cette conne de Mireille, avec toute sa bonne volonté de collègue-de-bureau-qui-veut-être-mon-amie, me balance du "refus scolaire" ou de la "deuxième génération", je lui éclate la tête contre la photocopieuse », tandis que très au-dessous de Rachida, tout au fond de la terre, un peintre privé de peinture s'abîme dans la contemplation de cette mer justement, qui les a tous coupés en deux, de cette mer qu'il a peinte sur le fond de son garage, dans l'ouverture toute grande d'une fausse fenêtre, peinte elle aussi sur le mur du fond... Il contemple, Ismaël, l'œil perdu dans ce bleu où jouent les reflets du soleil qu'il a peint sur les pales de la bouche d'aération... Il contemple, Ismaël, père de Nourdine et de Rachida, les reflets de ce faux soleil jouant sur cette mer factice, et il les trouve plus beaux et plus vrais que les jardins aux mille fontaines promis au Juste par les marchands de promesses, ceux-là mêmes qui interdisent aux hommes de peindre la mer et le soleil et les femmes et les toits de la ville, car Ismaël a peint les toits de Paris tant qu'il y était, oui, les toits de Paris sur les deux autres murs du garage et sur la porte fermée, ce qui fait que la ville tout entière avec sa place des Fêtes près d'ici, sa tour Montparnasse là-bas, et son Panthéon, et son Beaubourg, et sa Notre-Dame, et sa tour Eiffel, que toute la ville se rassemble autour de cette fenêtre ouverte sur la mer... Et si le plus postiche des soleils tournoyant au fond d'un garage valait toutes les promesses d'éternité ?... C'est ce à quoi songe Ismaël... mais ce n'est pas vraiment une question, c'est une certitude sage qui sent la peinture encore fraîche et qui monte du bleu de cette mer où jouent les rayons du soleil dans le cliquetis d'oiseau de la bouche d'aération...

*

Le hasard est riche dans les villes — et plus

grandes sont les villes, plus riche est le hasard... Pendant que tout ce bleu finit par peser son poids de sommeil sur les paupières d'Ismaël, pendant que les paupières d'Ismaël se ferment sur des yeux poudrés d'or, le même bleu exactement, de la même mer, et sous les mêmes reflets du soleil, et dans le pépiement des mêmes cliquetis, ce même bleu vaguement ondoyant d'une mer somnolente (vous savez, le matin, quand la plage est presque déserte, que ni la mer ni les gens ne roulent encore dans le halètement du soleil), voilà que ce même bleu nappé de calme se déchire tout à coup, qu'il s'ouvre comme un ventre, et qu'en surgit quelque chose comme une divinité marine...

Non, non, ce n'est pas un conte oriental, ce n'est même pas un conte du tout, c'est la réalité : un corps surgit de la mer Méditerranée, un corps d'homme assez peu divin, d'accord, un corps blanc de vacancier frais pondu, épaules étroites, brioche légère, mais ce paquet d'algues qu'il a mis pour rire sur sa tête et ce grand coquillage qu'il tient entre ses mains, et la surprise surtout, en font une sorte de dieu, un Neptune d'occasion... Il émerge et s'avance, il fait signe à quelqu'un de se taire, chut ! la ferme ! gaffe à toi si tu l'ouvres ! (en silence, car la scène est muette, on entend juste le cliquetis)... et on voit ses jambes maintenant qui ne furent jamais de danseur, et la mer s'éloigne, et on voit apparaître la plage, et sur le sable de la plage une belle fille qui lit un livre — dorée comme sont les filles, qui précèdent toujours les rayons de l'été et le Neptune d'occasion s'avance encore, et soudain quand il se trouve à l'exacte verticale de la liseuse, il verse toute l'eau du coquillage sur son dos nu.

La belle fille se lève en hurlant muettement.

Ses jolis seins bondissent de rage.

Elle brandit le bouquin à deux mains.

Elle le déchire par poignées pour montrer à quel point il est foutu.

Puis elle passe de la fureur au rire.

Un rire muet...

Mais un rire !

Un rire...

Un rire qui meurt avec l'image, dans le cliquetis de la pellicule libérée... *tchip, tchip, tchip...* silence de l'écran devenu blanc... *tchip, tchip, tchip...* le projecteur qui tourne à vide... *tchip, tchip, tchip...* tout compte fait, ce n'est pas le même bruit que le soleil d'Ismaël... pas exactement.

Et du rire on passe aux larmes.

Et des larmes aux sanglots.

Et la lumière de la chambre s'allume.

— Arrête, maman !

En trois pas, Igor éteint le projecteur. Il se retourne. Sa mère Tatiana est assise sur son matelas. Il y a trois ou quatre mois, Tatiana a démonté le lit conjugal, donné le sommier, brûlé les montants, et elle a posé le matelas à même le sol : « Comme quand j'étais jeune fille ! Que ça serve à quelque chose, au moins, d'être veuve ! »

— Arrête, maman !

Elle arrête, elle arrête, elle étouffe ses derniers cris dans la chaleur d'un vieux pull qui n'est pas le sien.

- Mais qu'est-ce qu'il faut que je fasse ?

Igor retire doucement le pull des mains de la pleureuse...

– Hein ? Maman ? Il faut que je donne ses fringues ? Il faut que je brûle le film ?

Elle a un geste bien à elle pour sécher ses larmes, du dos de ses poings fermés, comme si elle n'avait jamais pleuré que de rage.

– Tu veux qu'on déménage, maman ? Qu'on change de ville ? Les copains, c'est pas un problème... Les vrais, on s'écrira, les autres je les oublierai ! On va dans une autre ville ? Une ville à chier, où tu pourras piquer des crises contre le béton. Hein ? Tu t'en fous, toi, tes lettres aux lectrices tu peux les écrire ici ou ailleurs, en Amérique, même. On va à New York, maman ? Allez, on va à New York ? On se casse ?

Un éclair dans l'œil de Tatiana, soudain. Un vrai sourire des yeux. Elle demande :

– Tu as vu, le coquillage ?

Le coquillage ? Igor se méfie. Il répète ·

– Le coquillage ?

– Le coquillage. La conque marine, celle qu'il me renverse sur le dos.

– Bien sûr, oui, je l'ai vu, oui...

– Il avait laissé le prix dessus.

– Quoi ?

– L'étiquette. Elle y était encore. 32,75 F. Elle pendouille sur le côté, au bout d'une ficelle.

Igor n'a jamais remarqué ce détail.

– Et alors ? Il a dû oublier de la retirer.

– Non, je suis sûre qu'il l'a laissée exprès.

Cette gaieté dans le regard de Tatiana ! Méfiance...

– Pourquoi il aurait fait ça ?

– Parce que tu étais dans le coup, Igor ! Parce qu'il t'avait demandé de filmer ! C'était le genre de détail qu'il trouvait comique dans un film. Neptune émergeant des flots avec une conque à trente-deux balles soixante quinze...

Le ravissement dans les yeux de Tatiana...

– Et c'est vrai que c'est drôle, tu ne trouves pas ?

Puis :

– On se le repasse ?

Igor avait raison de se méfier.

— Maman, arrête...

Il faut maudire les morts en attendant de les retrouver. Tous ces salopards tant aimés qui n'ont pas pris le temps de nous attendre... C'est à peu près ce que se dit Igor, en ce moment... ou ce qu'il se dirait s'il avait un peu plus de bouteille... ou ce qu'il aurait le temps de se dire si le téléphone ne se mettait pas à sonner.

– Arrête, maman !

Le téléphone sonne sur le regard suppliant de Tatiana.

Igor décroche sans la quitter des yeux.

★

Joseph l'a senti tout de suite, ce n'était pas le moment d'appeler. On ne sait jamais où tombent nos coups de téléphone. Joseph a donc parlé très vite. Joseph a dit que son père devenait dingue à la perspective de voir Crastaing. Il a dit que quand son père était dingue, c'était Moune qui morflait. Il a dit qu'il ne pouvait pas se permettre d'aggraver le couple en ne faisant pas la rédaction pour demain. Mais qu'il n'avait pas la queue d'une idée sur ce sujet à la con. Pas un mot depuis deux heures. Que dalle. Et toi ? Où t'en es ? Joseph a rappelé à Igor que le français, c'était lui : Igor le français et Joseph les maths, que ça marchait comme ça depuis toujours entre eux. Alors, t'en es où ? Hein ? T'en es où ? Qu'est-ce que tu as écrit ? Igor a répondu qu'il n'en était nulle part, qu'il n'avait pas écrit un mot et qu'il ne ferait pas cette rédaction de merde. À quoi Joseph a dit qu'Igor ne pouvait pas lui faire ça, qu'ils étaient potes, que s'il ne faisait pas la rédac pour lui, Igor, il devait la faire pour lui, Joseph. Contre les maths, bien sûr, comme d'hab'. Que c'était très important. Qu'il y avait urgence. Qu'il n'en était pas très sûr mais qu'il croyait bien avoir entendu Moune crier de l'autre côté de la cloison. Ça chauffait sec pour Moune quand Pope était en crise.

– Igor, merde, ne me laisse pas tomber. Pas ce soir, fais pas le con ! Il me faut cette rédac pour demain. Sous peine de mort !

Bizarre, mais à chaque mot prononcé Joseph sentait que ce n'était pas le bon, qu'il était en train de dire juste ce qu'il ne fallait pas. Alors il fonçait, il en rajoutait, il s'acharnait dans la mauvaise direction. Jusqu'au moment où Igor prit la parole :

– Joseph...

Et Joseph s'est arrêté net.

– Arrête de chialer. Je la ferai pas, ta putain de rédac.

Quoi ? a pensé Joseph. Qu'est-ce qu'il me joue, là ? Igor continuait :

– Je me laisserai transfuser par personne, moi.

Le coup de la transfusion placé ici, sans raison, a verrouillé le silence.

– J'en ai plein le cul de Crastaing, et de l'école, et de Paris, et de la France, et de toi aussi, Joseph, si tu veux savoir, plein le cul ! Ras bord !

De moi ? Joseph n'a même pas eu la force de demander : « De moi aussi ? Qu'est-ce que je t'ai fait ? »

– Je me casse, Joseph. À New York ! Toi, tu gardes le tandem et moi je me casse à New York. J'emmène ma mère. C'est la vie.

Quand ? Mais Joseph ne peut même pas demander quand.

Oh, le silence des amitiés mortes...

– Joseph !

– ...

– Joseph, t'es encore là ?

– ...

– Joseph, pour les cris de ta mère, ne t'inquiète pas, elle est en train de se faire mettre, c'est tout.

– ...

– Et c'est délicieux, à ce qu'il paraît.

Point final. Joseph se retrouve avec un téléphone portable dans la main. Il n'y croit pas, d'abord. Il regarde l'appareil comme au cinéma. Puis il le raccroche au mur, comme si ce n'était plus un téléphone. Fin d'une amitié. Fin de tout.

Joseph longe le couloir. Il colle son oreille à la porte des parents. Silence de mort. Et, puisqu'il est question de mort, Joseph retourne dans sa chambre à lui, ouvre la fenêtre qu'il enjambe, s'assied, les pieds dans le vide au-dessus de l'avenue Simon-Bolivar, et commence à jouer avec l'idée de la mort, sept étages plus bas, comme ils font parfois à cet âge où la mort n'est encore qu'un argument, jusqu'au jour où ça marche, et tout le monde se demande pourquoi, et ça marche précisément parce que c'est l'âge où ils veulent qu'on se demande pourquoi. La mort est le seul moyen d'arrêter les Crastaing, voilà ce que déclare la voix officielle de Joseph. Retourner deux secondes dans la chambre, laisser un mot sur le brouillon vierge : *C'est Crastaing qui m'a tuer*, retourner à la fenêtre, sauter, et libérer tous les élèves de tous les Crastaing du monde, et tous les Pope de toutes les « conversations avec monsieur votre père ». C'est un libérateur qui va sauter dans le vide : Joseph Bolivar-Pritsky !

Seulement le vide est archiplein cette nuit-là, d'un ululement de sirène entre autres, qui grimpe en spirale jusqu'aux oreilles de Joseph. C'est ainsi que la police veille sur le sommeil des vivants : dormez en paix, futurs morts, dormez dans notre hurlement... Hurlement du fourgon de police, donc, qui fonce vers l'immeuble de Joseph, et c'est comme si Joseph avait déjà sauté et qu'on eût déjà prévenu la police, comme si Moune était réveillée par les gifles bleues du gyrophare et qu'on la menait chancelante reconnaître dans cette bouillasse rouge le cadavre de son fils...

Crispation des doigts sur le chambranle de la fenêtre.

Le fourgon de police passe en trombe.

Joseph rentre dans sa chambre.

Se remet à son travail, comme il se doit. Et comme ces messieurs de la police se doivent de faire le leur, toutes sirènes dehors, en attendant l'heure de la retraite, de la balle perdue, ou du suicide.

★

Il est loin de la retraite, l'agent qui extirpe Nourdine du fourgon, et il a plus une tête à suicider son voisin de palier qu'à ramasser une balle perdue.

– Descends de là, magne-toi le cul !

Ça ne se passe pas très loin de chez Joseph, à vrai dire, ça se passe au commissariat de Belleville. Nourdine, arraché du fourgon et jeté sur le banc du poste, rue Ramponneau.

– Tiens, Éric, c'est pour toi. Il a éclaté une vitrine à Parmentier et il a piqué ça.

Éric, c'est le rouquin en uniforme qui tient la permanence, derrière le bureau. Il chope au vol la boîte de peinture que lui envoie l'autre agent. À Nourdine, en se levant, il demande :

– Comment tu t'appelles ?

– Je m'appelle pas.

Ça ne l'impressionne pas plus que ça, Éric. Il prend les clefs d'une cellule et fait le tour du bureau.

Où t'habites ?

– J'habite pas.

L'autre flic est déjà sur le pas de la porte.

– Te fais pas chier, Éric. Il roulait avec une mob pourrie, en plus, et il a essayé de se barrer : feux rouges, sens interdit, il nous a fait la totale. On a fini par le coincer dans une impasse. Boucle-le, faut qu'on y retourne. C'est plutôt chaud, cette nuit.

Et, l'index vers Nourdine :

– Toi, la petite merde, on fera l'addition demain. T'es pas sorti de l'auberge, c'est moi qui te le dis.

Il sort. Rugissement du moteur, crissement des pneus, sirène, dormez en paix.

La porte de la cellule qui s'ouvre.

Et se referme.

Le double claquement de la serrure.

Il y a deux autres cellules à côté. Vides. Elles sont de grillage torsadé.

Le rouquin est retourné derrière son bureau.

– Pourquoi t'as fauché une boîte de peinture ?

Nourdine lui vote le sourire de l'innocence, le même qu'à sa sœur Rachida, tout à l'heure :

– Pour faire de la musique.

6

— Papa, elle a encore regardé le film.

— Cache-le.

— C'est tout ce que tu trouves à dire ?

— Théoriquement, je n'ai plus rien à dire.

- J'ai beau le planquer, elle le retrouve toujours.

- Comme tous les vrais alcooliques avec les bouteilles.

— Elle me la joue cinéphile, tu vois ? Le détail qu'on n'a pas remarqué, les films géniaux qu'on peut visionner mille fois, ce genre d'arguments... elle trouve toujours un prétexte pour le repasser. Je peux pas le jeter, quand même !

— Pourquoi ?

— C'est un souvenir de toi !

— Tous les souvenirs finissent à la trappe. Un peu plus tôt, un peu plus tard...

— Ça la tuerait.

— Elle te tuerait.

— Arrête de déconner, papa. Ça va de plus en plus mal. Elle dégringole, vraiment !

— Ah ça, c'est pas le genre de salade que tu lui

as servi en rentrant du collège qui peut lui remonter le moral !

– Quelle salade ? Qu'est-ce que j'ai fait ?

– Le coup de l'orphelin inconsolable : bou-ou-ouh, il est mort, mon papa, il est mort, on le verra plus jamais se gratter le cul dans son pyjama... Si tu t'imagines que c'est ce qui va lui faire remonter la pente...

– ...

– Petit con, va.

– Papa...

– On aime se plaindre, hein ! On aime chialer ! On est le petit mec le plus malheureux de la planète sous prétexte qu'on a perdu son père ! Un pur génie dont on a quand même profité jusqu'à douze ans, soit dit entre parenthèses !

– Justement. Tu aurais pu mourir avant ma naissance, ça aurait facilité les choses.

– Je sais, je sais, c'est le rêve secret de tous les nourrissons, qu'on débarrasse le plancher avant leur arrivée.

– J'ai pas dit ça.

– Il y a pire que de perdre ses parents, Igor, bien pire !

– Ah bon ?

– Bien sûr ! Ce serait trop facile, autrement. Il suffirait que les parents meurent et tout serait réglé. Plus de chagrin, jamais. Toutes les larmes versées d'un seul coup et plus rien à perdre, formidable ! La vie, ça ne marche pas comme ça, mon petit pote.

– La vie, ça ne marche pas du tout.

– Eh, oh, tu ne vas pas nous faire le coup du

suicide adolescent, toi aussi ! Tu veux nourrir la statistique ? Comme Joseph ?

– Joseph s'est suicidé ?

– Non. Il a joué avec l'idée, c'est tout. Quand tu lui as raccroché au nez, tout à l'heure. Ne t'inquiète pas. Rien de sérieux.

– ...

– La vie ne pose pas de questions, Igor, et le suicide n'est pas une réponse.

– ...

– ...

– Papa... On a parlé un peu, avec maman, après le coup de téléphone de Joseph.

- De quoi ?

– Papa, de quoi veux-tu qu'on parle ? De toi, bien sûr.

– Et alors ?

– Arrête, tu sais très bien ce qu'on s'est dit.

– Fais comme si je ne le savais pas.

– Ce qu'elle regrette surtout, c'est les années qu'elle a perdues avant de te connaître.

– Tout Tatiana, ça...

– Elle dit qu'elle est née en colère. Que si elle t'avait connu toute petite, ça l'aurait calmée.

– Igor, pour l'instant, c'est de te savoir près d'elle qui la calme. Et de te voir débarquer le soir avec tes sacs à provisions, et de te voir faire la cuisine. Alors arrête de jouer les orphelins, tu veux ?

– Mais putain de Dieu, je ne joue pas les orphelins, je *suis* orphelin !

– Et alors ?

– Quoi, et alors ?

– C'est définitif, non ?...

– Définitif, Igor !

– Toi, on peut dire que tu es le meilleur pour consoler ton fils.

– Mon fils aime la vie, il se consolera tout seul. Mon fils a juste besoin qu'on lui remonte les bretelles. Rarement, d'ailleurs, je dois le reconnaître.

– ..

– ...

– Papa...

– Oui ?

– Il faut que je l'aide à changer de vie. Complètement. Il faut qu'on se tire Très loin. J'ai pensé à New York.

– Pourquoi New York ?

– C'est loin, il y a un océan entre elle et toi, on y parle toutes les langues, il paraît que les meufs et les mecs n'osent même plus se regarder, qu'il faut réparer la machine à baiser, c'est exactement son créneau, elle va adorer ça.

– Une Russe, arrière-petite-fille d'un héros bolchevique, et qui se croit encore de gauche, et qui t'a toujours interdit d'entrer dans un McDo, et qui vomit le cinéma américain... à New York ! Tu veux l'achever ou quoi ?

– À New York ou à Tourcoing, on s'en fout ! Papa, il faut qu'elle s'en aille ! Qu'elle change de vie !

– Il y a d'autres moyens. Elle peut rencontrer quelqu'un, par exemple.

– Tu trouves qu'elle ne rencontre pas assez de types ?

– Ce n'est pas le nombre qui compte, c'est de tomber sur le bon.

– Il faut les essayer tous, pour ça ?

– Non, Igor, il faut lui donner le moyen de choisir avant d'essayer.

– ...

– ...

– ...

– Dis-moi, c'est vrai que je me grattais le cul, dans mon pyjama ?

– Surtout quand tu débarquais vers midi parce que tu avais travaillé tard dans la nuit.

– J'ai travaillé tard toutes les nuits de ma vie. J'ai toujours été à la bourre. Comme toi d'ailleurs Tu as vu l'heure ? Allez, fiche-moi le camp, tu as ta rédac à faire pour demain.

– Je la ferai pas.

– Je n'ai plus de conseils à te donner, Igor, mais si j'étais toi, je la ferais.

– Tu l'as dit, papa, tu n'as plus de conseils à me donner.

Igor avait déjà tourné les talons. Ça a toujours été un gosse à dernier mot. Regarder les gens dans les yeux, imposer le point final, le carburant des petites victoires lui est une nécessité vitale. Mais cette fois-ci la curiosité a été la plus forte. Il n'avait pas fait dix pas qu'il s'est retourné :

– Dis donc, papa, l'étiquette, sur le coquillage, tu l'avais laissée exprès ?

– D'après toi ?

★

Je sais, je sais, le fantôme agace, et ceux qui croient aux fantômes agacent plus encore, et ceux qui propagent cette croyance méritent de finir comme marque-page séché dans un grimoire... Personnellement, je n'ai jamais été de ceux-là. Rationaliste comme personne. Positiviste comme une addition. Allergique à toute superstition, à commencer par les officielles, celles qui se nourrissent de pain azyme, pissent de l'eau bénite et fondent des civilisations. J'étais si peu enclin à *croire*, qu'à mes yeux la psychanalyse elle-même relevait du spiritisme. Je n'ai jamais cru aux esprits, ni au mien. Pas d'inconscient, telle était ma devise. Responsable, un point c'est tout. La somme de mes actes, et faire avec. J'étais si peu superstitieux que j'ai emplafonné un nombre incroyable d'échelles qui me barraient le trottoir : je n'arrivais ni à les contourner ni à passer dessous. J'ai toujours préféré me heurter à la réalité. Quand j'ai commencé à devenir un catalogue de maladies et qu'on m'a expliqué que mon corps *me parlait,* je ne me suis pas envisagé une seconde comme une maison hantée. Je me suis dit que mon chirurgien transfuseur m'avait farci de petits fantômes bien réels qui boulottaient mes défenses immunitaires. Et, quand j'ai fini par en mourir, ce n'était pas avec l'arrière-pensée de ressusciter pour rendre compte de mon aller retour. Je mourais, c'est tout. La vie me filait entre les doigts. Les années que j'espérais passer encore avec Igor et Tatiana avaient fondu en heures, en minutes, en secondes. La dernière fois que je les ai vus sortir de ma chambre, c'est ma vie que j'ai vue partir. Oh ! Tatiana... son coup de genou dans les couilles du chirurgien ne me fut d'aucune consolation.

Igor et Tatiana étaient ma vie et je mourais. Je ne les verrais plus jamais. Je mourais. Je mourus. Et si je peux garantir une vérité sur la mort, c'est qu'il n'y a rien à en dire ; tout ce qu'on en dit la précède. Sauf à vivre dans le mensonge, il faut admettre que l'on disparaît. C'est ce qui m'est arrivé.

Universelle banalité.

Alors il m'a fallu un certain temps, évidemment, pour *réaliser* (et je donne ici tout son sens à ce verbe) qu'Igor me parlait. Comme ce n'est pas le genre de gosse à se lasser, il m'a parlé jusqu'à ce que je l'entende. La surprise fut telle que je n'ai pas pu m'empêcher de lui répondre. (Quand je dis *je,* vu mon état, c'est contre toutes mes convictions.) En tout cas, le dialogue a bel et bien eu lieu.

– C'est à moi que tu parles ?

Il a tout de suite flairé le danger, parce qu'il a répondu :

— Oui, et ça veut pas dire que je croie aux fantômes.

– Tu ne crois pas aux fantômes, tu ne crois pas aux fantômes, n'empêche que je suis mort et que tu es en train de me parler !

– Ça me regarde. Je fais ce que je veux, maintenant.

Une seconde j'ai été tenté de l'envoyer chez un psychothérapeute pour qu'il y « fasse son deuil » comme ils disent, mais je me suis souvenu à temps que l'inconscient n'avait pas plus de crédit chez moi que les revenants. Il me fallut donc faire une fois de plus avec les données objectives. Et y aller prudemment.

– Bon, Igor, admettons que tu me parles et que je t'entende. Mais est-ce que tu me *vois* aussi ?

– Évidemment, je suis pas cinglé, je ne parle pas tout seul.

- Comment je suis habillé ?

– Dans ton pyjama rayé. Maman n'a pas voulu qu'on t'habille. Elle a voulu garder toutes tes affaires à la maison.

– Où sommes-nous ?

– Au cimetière. Au Père-Lachaise. Tu es assis sur ta tombe.

Je me suis levé, je me suis retourné. J'étais bel et bien assis sur une pierre tombale. Gravées sur la stèle, mes deux dates et cette épitaphe :

Pierre Laforgue
Transfusé
Merci, docteurs
Ministres, merci.

– Qui a fait inscrire ça ?

– Maman. Le graveur ne voulait pas, mais elle a menacé de foutre le feu à sa boutique.

– C'est d'un goût...

– C'est du dégoût, papa.

Je n'étais pas d'humeur à nuancer. Il y avait plus urgent. J'ai multiplié les questions pour établir la réalité de cette conversation. Finalement, Igor en a eu marre.

– Excuse-moi, papa, mais pourquoi tu nous chies une pendule ? Je te parle alors que tu es mort, d'accord... Mais tu me parlais aussi, toi, avant ma naissance !

– Avant ta naissance ?

– Parfaitement ! Maman voulait un bébé et toi, tu n'en voulais pas. Dès ce moment-là tu as commencé à me bassiner avec les horreurs de la vie, les emmerdes qui m'attendaient, la rougeole, les angines à répétition, le supplice des cours de récré, les chagrins d'amour, la compétition, le vieillissement et la mort au bout de la route... Tu vois, je me souviens de tout. Là, pour le coup, tu parlais tout seul puisque tu ne pouvais pas encore me voir. Mais je t'entendais, moi, et je ne t'ai pas pris pour un dingue. Je te trouvais plutôt raisonnable, même. Un peu infantile, mais raisonnable.

Ici, je dois dire qu'il a failli marquer le point décisif. Je me suis rattrapé aux branches in extremis.

– Ça n'a rien à voir, Igor. Toutes ces hésitations sur ta mise en chantier, nous t'en avons parlé *après* ton arrivée, Tatiana et moi. Ce sont des *souvenirs* que tu me sers.

Il ne s'est pas démonté pour autant.

– Papa, ces petits délires, tu les as bien eus, *avant* ma naissance, oui ou non ?

– Oui.

– C'étaient des pensées bien réelles ?

– Oui.

– Aussi réelles que des faits, on pourrait dire ?

– On pourrait dire.

Il a souri, triomphal, et il a prononcé la phrase suivante en détachant les mots :

– Alors, qu'est-ce qui te dit que si vous ne me les aviez pas racontés, je ne m'en souviendrais pas quand même ?

– Mais parce que tu n'existais pas encore, tout simplement !

– Et toi, tu existes ? Là, maintenant, tu existes ?

Décidément, ce garçon avait mûri depuis mon départ. Devenu un casuiste aussi chiant que je pouvais l'être de mon vivant. La conversation aurait-elle suivi ce cours, qu'il nous aurait fallu débattre s'il y a plus de vie avant la naissance qu'après la mort. Non, non... Au-dessus de mes compétences et de mes forces. Sans parler de mes opinions. Mais il est vrai que la mort, c'est la fin des opinions. Mourir, c'est troquer nos opinons contre un point de vue. (Imprenable, le point de vue !)

J'ai préféré en venir au vif du sujet.

– Entendu, Igor. On peut savoir ce qui t'amène ?

– Maman. Elle flippe.

C'est ainsi qu'il a pris l'habitude de venir me consulter chaque fois que Tatiana se laisse submerger. Il attend la nuit. Il fait le mur du cimetière, il se faufile entre les tombes, il est habile, il ne se fait jamais gauler par les gardiens. Il arrive jusqu'ici et il demande :

– T'es là ?

Ça me navre de l'admettre, mais je suis là.

7

– Tu as du boulot, pour demain ?

Nourdine a sursauté. C'est à moi qu'il cause, le rouquin ? Pas de doute, les deux autres cellules étaient vides et le flic le regardait, par-dessus son bureau. C'était bien à lui qu'il parlait.

– Eh ! Oh ! Tu réponds ? Je vais pas te garder toute la vie, moi. Tu as école, demain, non ? Alors autant faire tes devoirs. Ça doit être plus calme ici que chez toi. T'as quelque chose à faire ?

C'était de la voix normale. Pas chargée du tout. Du keuf comestible qui devait commencer à trouver sa nuit de permanence un peu longue. Méfiance quand même. Le ping-pong entre le bon keuf et le méchant, Nourdine connaissait. Mouloud, Bertrand et les autres lui en avaient parlé. C'est leur méthode, aux keufs. Ça marche comme au ciné. Un qui te tarte la gueule et l'autre qui t'offre un clope. Nourdine leva les yeux sur le rouquin. Il tenait à lui faire savoir qu'il n'était pas né de la dernière baffe :

– Vos copains ont dit qu'ils reviendraient demain et qu'ils me feraient ma fête. Vous les avez entendus, non ?

– Si le commerçant ne porte pas plainte, une boîte de peinture, c'est une toute petite fête. Tu te prends pour Mesrine ou quoi ?

Mesrine ? Nourdine ne connaissait pas.

– Bon, alors, tu as quelque chose à faire, pour demain ?

Le rouquin avait même un très léger sourire.

– J'ai une rédac, mais je la ferai pas.

– Comment ça, tu la feras pas ?

– C'est un devoir supplémentaire, une punition pour une connerie que j'ai pas faite.

Le rouquin hocha une tête de connaisseur :

– L'injustice, hein ! Le copain qui déconne et toi qui plonges à sa place. Comme la boîte de peinture, c'est pas toi qui l'as chourée, peut-être...

D'une certaine façon, non. C'est pas moi qui l'ai piquée. C'est la faute à Rachida. Mais va lui expliquer ça, à l'autre, dans son uniforme. Si on faisait le compte de ce qu'un flic ne peut pas comprendre, ce serait l'addition la plus longue du monde. Nourdine retint son sourire. C'est quand même bizarre à quel point j'ai pas peur. Et ça l'inquiétait, cette insouciance, tout à coup. Ça lui faisait un peu peur, justement.

– C'est quoi, le sujet de ta rédac ?

– Complètement con.

– Fais voir.

Nourdine croyait rêver. Le rouquin s'était levé, avait pris les clefs de la cellule, et voilà qu'il s'amenait, qu'il ouvrait, qu'il entrait, qu'il s'asseyait à côté de lui sur la banquette et que, du bout des doigts, il lui faisait signe d'abouler :

– Allez, envoie.

Nourdine plongea dans son sac à dos, fouilla au-dessous du survêt de gym, sortit le cahier de textes et le tendit au rouquin, ouvert à la bonne page.

L'autre lut en silence le sujet de Crastaing, hocha la tête et, effectivement ·

– Ah ouais, d'aaaccord..

– Qu'est-ce que je vous disais !

– Aucune importance, ce que tu disais.

Le rouquin avait répondu ça sans quitter le sujet des yeux. Il embraya aussi sec :

– Débile ou pas, il faut la faire, cette rédac... Autrement, c'est l'enchaînement des emmerdes. Et tu vois où ça mène.

Ça y est, j'y ai droit. Depuis le début, Nourdine se demandait à quel moment il aurait droit à la petite leçon de morale. Dans le car, ça avait été les baffes et les « sale crouille de mes deux, je vais te pisser à la raie », et si Nourdine en jugeait par l'expérience de Mouloud, de Bertrand et des autres, la leçon de morale devait venir après, avec un gradé, l'inspecteur qui débarque le matin, ou le commissaire. Là, c'était le rouquin qui s'y collait. Une façon d'apprendre, peut-être, un entraînement pour quand il deviendrait inspecteur.

– Quand j'étais môme, j'étais exactement comme toi.

« Tu verras, avait dit Mouloud, ils disent tous qu'ils étaient comme toi au départ. La couleur en moins, hein ! Ils sont relouds, t'as pas idée, ils nous prennent vraiment pour des bouffons... »

Le rouquin poursuivit, consciencieux :

– Connerie sur connerie, je faisais.

Un peu pour s'intéresser, un peu par curiosité, un peu pour rigoler au fond de lui-même, Nourdine demanda :

– Quel genre de conneries ?

– Comme toi, la cambriole. La revente aux puces. Les fringues. Et les batteries de cuisine, surtout, c'était ma spécialité, les batteries de cuisine.

Là, tout de même, il faudrait que Nourdine demande à Mouloud et à Bertrand si les keufs filaient autant de précisions, d'habitude.

– Je me faisais serrer une fois par mois, minimum.

Le rouquin leva ses yeux de rouquin ; il y eut une vraie tristesse dans le vert de ses yeux quand il demanda :

– Tu vois le résultat ?

Nourdine ne comprit pas tout de suite. Alors le rouquin se leva, se posa bien debout devant lui, montra du haut en bas son uniforme bleu ordre, et demanda :

– Tu veux finir comme ça ?

★

Tatiana s'est endormie. Comme toutes les nuits, Igor fait le compte des cachets restants. Tatiana n'a jamais dépassé la dose prescrite, mais Igor n'a jamais oublié de compter. Le somnifère est un tiroir à souvenirs qui s'ouvre dès le réveil, une caisse automatique, *cling !*, et les souvenirs vous sautent intacts dans la tête, comme si vous n'aviez pas dormi. La journée nouvelle étire son chagrin jusqu'à l'heure où on supplie le tiroir de boucler les souvenirs. Cachet.

Allez, au pieu.

Igor a laissé entrouverte la porte de Tatiana, et la sienne aussi, tout comme il demandait à ses parents de le faire quand lui-même était petit. La vie à l'envers... tiens, c'est une idée qui plairait à Crastaing, ça... la vie à l'envers... mais je ne ferai pas sa rédac... « Soyez réaliste, Laforgue, vous n'êtes pas plus doué pour le dessin que pour le reste »... pauvre tache ! s'il savait à quel point je l'emmerde... Crastaing, si tu courais aussi vite que je t'emmerde, tes morpions ne t'auraient jamais rattrapé... les morpions... les morbacs... les sentinelles... ça y est, le sablier sème ses pointillés... du plomb sur les paupières... « soyez réaliste, Laforgue »... non, un peu moins de réalisme, justement, j'ai ma dose... et le Nourdine qui s'accuse à ma place... et l'autre larve de Crastaing : « On parle français, s'il vous plaît »... et le Joseph qui joue les apprentis au suicide... c'est ma faute, là... j'ai peut-être été un peu dégueulasse... mais lui il a été franchement con... se flinguer pour un Crastaing... je te jure !... mort pour cause de crastaingite... sept étages... s'il avait sauté, il aurait eu sept étages pour le regretter... sacrée chute... le coup de l'étiquette... trente-deux francs combien, déjà ?... soixante-quinze... au bout d'une ficelle... tu trouves ça drôle, papa ?... il trouve ça drôle... trente-deux...

★

– Bon, fit le rouquin, ta sœur est documentaliste et ton père est taxi, c'est bien ça ?

– Il était, répondit Nourdine. Il a abandonné
pour la peinture.

– On s'en cogne, de la peinture. C'est beaucoup plus facile, s'il est taxi.

– Pourquoi, plus facile ?

– Réfléchis deux secondes, bon Dieu. Comment tu t'appelles ?

– Nourdine. Nourdine Kader.

– Réfléchis deux secondes, Nourdine, ton père
est taxi, tu te réveilles un matin, tu as grandi dans
la nuit, tu es devenu adulte, et ton père est redevenu tout môme — cinq ou six ans. C'est pas lui
qui va conduire le taxi ! Il n'atteint plus les pédales. Et toi, tu es emmerdé parce que tu n'as pas
le permis, forcément !

Nourdine cessa d'écrire. Il leva les yeux sur le
rouquin. Très concentré, le rouquin. Une espèce
d'excitation calme. En pleine création. Un calme
venu d'ailleurs... un peu comme le visage de papa
depuis que papa peignait la mer et le reste, sur les
murs du garage.

– Elle a le permis de conduire, ta sœur ?

– Rachida ? Elle est trop conne.

Là, petite interruption.

– Écoute, Nourdine, c'est ta rédac, tu écris ce
que tu veux, mais si tu traites encore une fois ta
sœur de conne, je t'en retourne une. On ne traite
jamais les filles de connes.

– Et si elles sont connes ? Il y a bien des connes, quand même ?

– On s'arrange autrement.

Mais le rouquin était déjà revenu au sujet de la rédac. Il essayait de résoudre la question du taxi.

– Évidemment, tu pourrais prendre le permis de ton père et conduire à sa place. Il se peut très bien que tu lui ressembles, devenu grand... hein ? On pourrait croire au même sur la photo...

La machine à imaginer fit une pause. Sourcils froncés, le rouquin demanda :

– Tu sais conduire ?

– Non.

– T'as jamais tiré une caisse ?

– Non.

– Allez...

L'enculé, pensa Nourdine, oh ! putain de sa mère, l'enculé. Je crois qu'il est en train de m'aider à faire ma rédac et il m'interroge ! Il me met en confiance, il m'attendrit avec les filles qu'il faut pas traiter de connes, et voilà, il voudrait me faire cracher que je pique des bagnoles avec Mouloud et Bertrand, ou un truc du style, et que je l'écrive, là. Le keuf des keufs ! Putain de lui ! Et je lui ai dit mon nom ! Niqué, je suis ! Niqué, la putain de sa race !

– T'as vu l'heure ? demanda tout à coup le rouquin.

Son doigt désigna l'horloge électrique au-dessus du bureau, avec l'aiguille des secondes, celle qui saute.

– Dis-moi l'heure.

Sa voix s'était durcie. Pas de doute, c'était bien du keuf.

– Vous savez lire l'heure, non ?

Quelque chose de dangereux passa dans l'œil du rouquin.

– Dis-moi l'heure qu'il est !

Je suis seul dans cette cellule avec un flic qui peut me casser la tête et on dira que c'est un accident. Je suis seul dans cette cellule et Rachida ne sait pas où je suis. Je suis aussi seul ici que quelqu'un qui peut disparaître. Et papa, et Rachida, et personne ne saura jamais où j'ai disparu.

– Il est deux heures moins dix.

– Bon.

Le rouquin se leva, il alla s'adosser au grillage d'en face. Il parla d'une voix calme.

– Écoute-moi bien, Nourdine Kader. Je m'appelle Éric. J'ai vingt-huit ans. Je suis flic. Je suis en train de t'aider à faire ta rédac pour tout à l'heure. Parce que, comme dit l'horloge, demain c'est tout à l'heure. Pendant que je me crève le cul à trouver des idées, toi, dans ta petite tête de tordu, tu penses que je te cuisine pour te faire plonger, et peut-être balancer des copains. Alors, c'est bien simple, ou je laisse tomber, je retourne à mon bureau et tu te démerdes tout seul avec ce devoir que tu n'auras jamais fini à temps, ou tu me fais confiance, on l'écrit à deux, on met le point final dans une demi-heure, et tu as cinq heures de sommeil devant toi. Voilà. Tu as dix secondes pour décider.

– On l'écrit à deux, m'sieur.

– J'ai dit que tu avais dix secondes pour réfléchir.

La petite aiguille sauta dix fois.

– On la fait tous les deux. Excusez-moi.

– Bon. Alors on reprend où on en était. Tu sais conduire, oui ou non ?

– Un peu. Mais faut pas le dire à Rachida.

★

Le problème..., écrit Joseph vers la même heure, *c'est que mon pyjama d'enfant était tout explosé par mon corps d'adulte.* On peut dire ça : était tout explosé par mon corps ? *Le problème c'est que mon corps d'adulte avait tout explosé mon pyjama comme l'incroyable Hulk avec sa chemise...* L'incroyable Hulk... Joseph entend d'ici la feinte surprise de Crastaing : « L'incroyable Hulk, Pritsky ? Qui est-ce ? Seriez-vous assez aimable pour nous le présenter ? » Alors là, si je lui parle de la télé, c'est lui qui va m'exploser ! *Le problème...* Le problème c'est que Crastaing est un connard, Pope un gueulard, Igor un salopard et Nourdine... Qu'est-ce qu'il est, Nourdine ? Pourquoi il s'est dénoncé à notre place ?... *Le problème c'était que j'étais quatre fois trop grand pour mon pyjama quand je me suis réveillé.* C'était que j'étais... c'était que je fus ? Ce fut que j'étais ? *Le problème, ce fut que j'étais quatre fois trop...* non... « Et pourquoi *quatre fois* trop grand, Pritsky ? Vous avez mesuré ? » C'est une image, monsieur... « Quand je vous dis que l'imagination ce n'est pas le mensonge, Pritsky, cela signifie, entre autres, qu'une image doit être « juste » pour représenter ou signifier quelque chose... »

Le problème...

Mais le problème bien réel qui mit fin à tous

ces problèmes vint d'une douleur si soudaine et si violente que la tête de Joseph en fut comme broyée et que, sous la pression, son cœur fut instantanément jeté à ses lèvres, qu'entre l'envie de vomir et celle de s'évanouir, quelque chose en lui choisit la seconde, que Joseph vit sa chambre vaciller, qu'il tenta de se rattraper à sa table, que la table se renversa, que les feuilles, les stylos, les albums, les photos s'éparpillèrent, et que la dernière pensée de Joseph, sa dernière pensée à peu près consciente, fut pour Moune... « excuse-moi, Moune... excuse-moi... », quelque chose de ce genre... qui englobait son amour pour sa maman, l'idée que ce n'était pas sa faute, qu'il aurait voulu la faire, cette rédac, qu'il était en train, même, de toutes ses forces, juré ! mais que voilà, il s'évanouissait, il s'effondrait sur la corbeille pleine de brouillons ébauchés... « pardon, Moune, Pope, pardon... » Qu'il s'évanouissait ou qu'il mourait, il ne savait pas, mais qu'il ne pouvait plus se retenir à rien... tout s'effondrait...

II

RACONTEZ LA SUITE

Et pas de solution de facilité, s'il vous plaît.

8

La suite, ce fut le réveil de Joseph Pritsky (le fils Pritsky donc, le fils de Pope et de Moune Pritsky, pas le mien, pas Igor). Joseph se réveilla, avec, à la bouche, un goût de vieille bile qu'il ne connaissait pas, un fiel de volaille mal vidée, qui remontait du plus profond de ses propres tripes et qu'il qualifia de « dégueulasse ». Sa tête pesait un poids tout à fait anormal, « un poids de dictionnaire », décida-t-il, et il y roulait, va savoir pourquoi, des expressions anglaises : *a grinding in the bones,* par exemple... *bones,* c'étaient les os, si sa douteuse mémoire d'élève ne le trompait pas, mais *grinding* ? Et, surtout, cette question : pourquoi est-ce que je pense en anglais ? C'est pas ma matière ! Moi, c'est les maths... *deadly nausea...* oui, c'est vrai... *deadly nausea...* j'ai une envie mortelle de gerber... Mais pourquoi en anglais ?... La main que Joseph leva pour saisir le dossier de la chaise renversée pesait presque plus lourd que sa tête, et son bras semblait un bras de pierre... « je suis comme une statue qui bouge »... et lorsqu'il laissa tout retomber d'un coup sur le sol — main, bras et tête —, cela fit effectivement le bruit sourd d'une statue qui s'effondre... et ce bruit lui flanqua une trouille... *a horror of the spirit...* tout à fait inconnue, « jamais eu aussi peur de ma vie », une espèce de panique *that cannot be exceeded at the hour of birth or death...* « Non pas exactement de la "panique", Pritsky » déclara tout à coup la voix de Crastaing dans la tête de Joseph, mais un Crastaing inhabituel, un Crastaing guilleret et coopératif : « Cherchez le mot juste, mon garçon, ce n'est pas de la panique qu'éprouve le bébé devant l'imminence de sa naissance (*birth*) ou le mourant au moment du passage (*death*), c'est cela, si vous voulez, de la panique, mais avec autre chose aussi, parce que l'un et l'autre sont en face de l'*inimaginable*, vous comprenez ? ou pour mieux dire de l'*inconnaissable*, ils éprouvent de la panique, soit, mais avec quelque chose de plus... — de plus quoi, monsieur ? — ... de plus fondamental... — de... de l'*angoisse*, monsieur ? — C'est mieux, oui, l'angoisse, oui, Kierkegaard serait d'accord avec vous. » Qui ? Qui regarde ? Qu'est-ce qu'il raconte, Crastaing ?...

À propos de Crastaing, quelle heure il est ? Quelle heure ?

La question de l'heure fut décisive.

Parce qu'elle entraînait celle du retard, que la quasi-certitude du retard évoqua un autre Crastaing, celui qui *ne tolérait pas* les retards, et que la peur de ce Crastaing-là balayait toutes les angoisses métaphysiques, qu'elles fussent de nouveau-né ou de moribond...

– Putain, quelle heure il est ?

Huit heures dix, disait la montre de Joseph 8 :

10, en vert fluo sur fond noir et clignotements divers.

– Huit heures dix !

Joseph se releva comme un film qui passe à l'envers.

– Nom de Dieu, huit heures dix !

À l'envers et en accéléré.

– Putain de putain de putain de putain... 8 10... 8 : 11... même !

Et c'est à la seconde où il fut tout debout que Joseph surprit Pope Pritsky son père dans la glace de son armoire, absolument nu, chancelant, et qui posait sur lui un regard ahuri.

– Pope, qu'est-ce que tu fous là ?

Les lèvres de Pope, dans la glace, prononcèrent exactement la même phrase :

– Pope, qu'est-ce que tu fous là ?

Avec les mêmes yeux, à la fois écarquillés et battus de fatigue.

Alors Joseph sut que c'était lui qui était dans le miroir.

Et nu.

Pas Pope son père, non, lui, Joseph Pritsky. Adulte.

Et chancelant.

Contre toute attente, cette découverte le rassura infiniment.

« D'accord... »

Vous vous réveillez un matin et vous constatez que, dans la nuit, vous avez été transformé en adulte...

« D'accord, Crastaing... »

On était dans le sujet... « Bravo, Pritsky, pour une fois vous êtes dans le sujet ! »... Joseph décida que rien autour de lui n'était réel, ni l'heure, ni la chambre avec sa table renversée, sa chaise renversée, sa corbeille renversée, ses photos de famille éparpillées, ni l'anglais dans sa tête, ni la métaphysique de Crastaing, ni le pyjama déchiré sur le sol, ni son réveil proprement dit. Vieille recette du cauchemar : l'impeccable illusion de veille.

Bravo, le cauchemar !

« On se calme, on se recouche, on se réveillera quand ce sera pour de bon. »

Sitôt dit, Joseph alla se jeter sur son lit d'enfant.

Évidemment, le lit s'effondra sous son poids et ses deux tibias faillirent se briser contre le montant que ses jambes dépassaient de trente bons centimètres.

Le plus douloureux ne fut pas la douleur, ni la surprise le plus surprenant. Ce qui terrorisa vraiment Joseph, ce fut le souvenir (cette fois, parfaitement clair) de la voix de Crastaing, debout à la porte de la classe :

– Et pas de solution de facilité, s'il vous plaît ; ce n'est ni un rêve, ni les Martiens, ni une facétie de fée, c'est la *réalité*.

Crastaing avait prononcé le mot en italique, pour lui donner toute sa réalité, précisément.

– Vous adultes, et vos parents tout petits. Compris ?

★

La suite, ce sont des images et des sons :
Joseph bondissant de son lit.
Joseph courant dans le couloir.

Le claquement épais de ses grands pieds sur le sol.

Joseph debout devant la porte de ses parents.

La caisse de résonance de sa poitrine.

La main de Joseph autour de la poignée.

Joseph et la poignée de porcelaine... de porcelaine baguée de cuivre... Ne faire aucun bruit en tournant cette poignée, absolument aucun... Comment décrire ce luxe de précautions? Le geste chirurgical, peut-être?

Arrêter le tintamarre de son cœur, d'abord.

L'intense concentration du démineur, plutôt... Seulement, j'ai déjà utilisé cette image plus haut, quand Igor introduit sa clef dans notre serrure. (Quand je dis « notre » serrure...) À cela près qu'Igor *mimait* la prudence alors qu'ici Joseph en est l'incarnation... Oui, la voilà, l'image : la pince du démineur qui hésite entre les deux fils... celui-ci? celui-là? le rouge? le jaune? S'il se trompe, il saute — et le cinéma avec lui, à en juger par le silence de la salle.

Mais il faut bien que le démineur choisisse et que Joseph ouvre cette porte. Ce qu'ils finissent par faire, l'un comme l'autre...

D'un coup sec.

En fermant les yeux.

La chambre est silencieuse. Elle sent le parfum retombé de la lutte amoureuse. Odeur inconnue à Joseph, pas identifiable en tout cas. Il trouve qu'on étouffe, là-dedans. Quand il a enfin le courage d'ouvrir les yeux, c'est pour constater, avec un immense soulagement, que le lit est vide. Moune ne l'a pas encore fait. C'est un amas de

draps et de couvertures monté en chantilly. Para-
doxalement, ce désordre dit que tout est dans
l'ordre : parents levés... Pope ouvrant la boutique... Moune aux courses... remontera vers dix
heures pour faire le plumard et passer l'aspira-
teur... ça baigne (en réalité, Joseph utilise une expression franco-anglaise : « c'est cool »)... Seule
fausse note, lui-même, ce grand type à poil devant
le lit vide de ses parents, et qui trouve que sa
montre lui serre le poignet... mais ça, c'est le coup
du cauchemar à tiroirs, Joseph connaît : la pire
saloperie que puisse vous faire un cauchemar,
c'est de vous donner l'illusion de sa propre conscience, « pas de panique, c'est un cauchemar », et
de continuer à en être un !

Joseph s'apprête donc à sortir pour aller termi-
ner son rêve une bonne fois dans sa chambre,
quand une voix inconnue le cloue sur place :

– Alors, on s'habille pas, aujourd'hui ?

Une voix d'enfant. Une voix de gamine.

Joseph se retourne, et le voilà de nouveau en
plein dans le sujet. Là, au beau milieu du lit parental, émergeant de la pagaille des couvertures,
Moune enfant le regarde. La Moune enfant de la
photo, celle qui ne voulait pas sortir de la bassine,
exactement la même.

Une deuxième voix prend le relais :

– On reste tout nu ?

Pope enfant, maintenant, un Pope aux oreilles
décollées, un Pope bien antérieur à sa bar-mitsva.

Les deux gosses, minuscules — « tout petits »,
avait dit Crastaing —, regardent le grand type à
poil sans la moindre gêne, mais avec déjà ces pe-

tits rires pouffés qui sont l'intuition de la pudeur et deviendront les ricanements de l'adolescence, avant de s'enfoncer dans le silence terriblement entendu des steppes adultes.

– Y a pas école, aujourd'hui ?

Ici, Joseph fait deux choses en même temps. Il arrache la chemise de Pope son père pendue au pied gauche du lit pour se la nouer autour de sa nouvelle taille (42 tendance 44) et fournit à la question posée la première réponse qui lui traverse la tête :

– Non, pas d'école ce matin !

– Pourquoi ?

Pourquoi ? Pourquoi, au fait ? Là encore, Joseph répond ce qui se présente :

– Une épidémie ! Crastaingite ! Très grave !

– Pourquoi ?

Joseph sursaute. Je viens de lui répondre, non ? La gamine continue de l'interroger du regard. Je ne viens pas de lui répondre ? Mais il est sauvé par une question plus précise du présumé Pope :

– C'est Mlle Lambesc qui te l'a dit ?

Moune enfant a la voix claire, avec ce voile, déjà, qui émousse les aigus et lui fait ce ton rêveur, un peu traînant. C'est vraiment la même, se dit Joseph, qui essaie maintenant de reconnaître la voix de Pope dans ce crachotis édenté, tout en se demandant qui peut bien être cette Mlle Lambesc, et en répondant, à tout hasard :

– C'est ça, oui, Mlle Lambesc...

– La mère Lambesc, elle dit que des conneries ! tranche Pope, qui plaque aussitôt une main d'excuse devant sa bouche

– Oh, pardon !

Joseph reconnaît bien son père dans cet impulsif à remords. C'est Pope, oui. Et de faire un bilan rapide, là, sur place : bon, pas de panique, ni d'angoisse, je suis debout, adulte devant mes parents enfants, il est... 8 : 22... j'ai raté mon cours de français, nous sommes à poil tous les trois... absolument impossible de savoir si je rêve ou si...

– Connerie, c'est un gros mot, intervient Moune enfant. Pourquoi Pope veut parler comme les grands ?

Moune a vraiment des yeux immenses. Immensément interrogateurs.

– Hein ? Pourquoi ?

La fameuse « détermination tendre » dans le regard. Elle ne lâchera pas prise sans avoir obtenu de réponse, Joseph le sent.

– Parce que...

– Parce que quoi ?

Et qu'il n'aille pas s'imaginer qu'une enfant de cette taille vous laisse le temps de réfléchir.

– Parce que quoi ?

Merde, se dit Joseph. Bordel, mais qu'est-ce qui m'arrive ?

Joseph ignore encore que Moune a rétrogradé jusqu'à cet âge précis où « parce que » est la réponse la moins satisfaisante à la question « pourquoi ».

★

En ce qui me concerne, je n'ai jamais laissé Igor m'étouffer sous les « pourquoi ». Là où Tatiana s'embarquait avec une patience suspecte dans la boucle sans fin des « pourquoi, parce que, mais pourquoi, parce que... », j'ai vite fait, moi, le procès des réponses causales.

– Les enfants se foutent des causes, Tatiana ! Seul le *but* les intéresse.

Ce qui est la vérité vraie. Qu'un moutard vous demande « Pourquoi il pleut ? », la pire des réponses à lui faire concerne « les nuages... », réponse qui entraîne illico « Pourquoi les nuages ? », et vous voilà embarqué dans l'analyse complexe des « précipitations atmosphériques », « Pourquoi les prézipitazions ? », avec leur cortège d'anticyclones, « Et pourquoi ils viennent des Zazores ? »... Folle spirale où vous heurtez vite et fort les parois de votre incompétence, ce qui vous accule à la baffe libératrice, ou pis, au mensonge.

Non. Cet âge réclame des réponses *finales*.

Un exemple de réponse finale ?

– Pourquoi il pleut ? demandait invariablement Igor quand nous promenions nos dimanches à la campagne.

– Hein ? Pourquoi il pleut ?

– *Pour que* les fleurs poussent, Igor.

Ce n'est pas qu'Igor aimât particulièrement les fleurs (il ne manifeste aucune sympathie pour celles qui ornent ma tombe), mais leur nécessité ne faisait aucun doute, puisqu'il les avait sous les yeux, là, au bord du chemin où nous pataugions en famille.

– Pour que les fleurs poussent.

La réponse finale octroie cinq bonnes minutes de tranquillité. L'essayer, c'est l'adopter.

Tatiana était contre, bien sûr. Elle prétendait qu'à tout « finaliser » (l'expression est d'elle) j'allais faire d'Igor un cynique, un amputé de la nostalgie, peut-être même un homme politique. J'affirmais, moi, que les mères « causalistes » (l'expression est de moi) fabriquaient des ergoteurs sans perspectives, dissecteurs de poèmes, médecins légistes de la rêverie.

– Pourquoi vous vous disputez ? demandait Igor.

– Pour que tu pousses droit.

9

À son réveil, Nourdine Kader passa par les mêmes phases que Joseph Pritsky (stupeur, incrédulité, panique, angoisse), pour se rendre lui aussi à l'évidence : il se trouvait debout, nu et gigantesque, en prison, devant un petit rouquin endormi sur la banquette de la cellule, et qui nageait dans un uniforme de flic. Nourdine avait parfaitement conscience d'avoir travaillé pendant la nuit avec un grand flic roux prénommé Éric et de s'être endormi sur les coups de trois heures, dans la satisfaction pré-adolescente de la rédaction accomplie. Apparemment, il y avait donc confusion entre le sujet du devoir et la situation présente, mais Nourdine ne disposait d'aucun moyen fiable pour tester la réalité des événements.

Il se calma, dit à haute voix : « On verra bien... », et se mit à attendre la suite avec une certaine curiosité.

En quoi, il avait raison. C'est sa durée, et elle seule, qui authentifie le réel. Qu'un cauchemar ne finisse pas, il devient votre réalité, et il faut bien faire avec. Que votre vie s'achève, elle n'était qu'un songe, et il faut bien ne plus faire avec.

Nourdine jeta un coup d'œil à l'horloge sautillante du commissariat.

Six heures dix-sept.

Six heures du mat... Nourdine se demanda à quelle heure se pointait la relève et s'il pouvait courir le risque de laisser l'équipe du matin les surprendre tous les deux, le petit rouquin endormi, avec cet uniforme incongru autour de lui, et le grand Beur, à poil, tous les deux dans la même cellule. Quelque chose lui murmura que ce serait une imprudence.

Il réveilla donc le petit rouquin, qui ne fut pas plus surpris que ça de se trouver en taule. (Oui, c'est Éric, décida Nourdine.) En revanche, l'uniforme étonna le gamin.

— Pourquoi vous m'avez donné votre uniforme, m'sieur ?

(Non, c'est pas Éric.) Nourdine répondit la première chose qui lui vint à l'esprit .

— Tu avais froid, je te l'ai prêté.

Le petit trouva le geste « plutôt sympa pour un flicard » (textuel) et sortit de l'uniforme en passant par le col. Nourdine estima que les choses suivaient un cours qu'il ne fallait pas contrarier. « Après tout, rêve ou pas, plus tôt je me casse d'ici, mieux ça vaut. » Il enfila donc l'uniforme de l'agent, qui lui allait à peu près, et tendit à l'enfant le survêtement de gym que lui-même trimbalait depuis la veille dans son sac à dos.

— Tiens, enfile ça et grouille. Comment tu t'appelles ?

— Éric. Où vous m'emmenez ? répondit — et

demanda — le petit rouquin, avec un mélange raisonnable de peur et de fatalisme.

(C'est Éric, décida Nourdine une fois pour toutes.)

– Je t'emmène pas, je te libère.

La nouvelle sidéra le petit rouquin.

– Ça alors ! Vous êtes quoi, comme flic ? Une nouvelle marque ?

– Fais pas chier avec tes questions, ou je t'enferme et je me tire.

Ce qui est une autre façon de régler la problématique des « pourquoi-parce que ». Discutable mais efficace, si on en juge par la vitesse à laquelle Éric sauta dans le survêtement de Nourdine.

Dix secondes plus tard, tous deux se trouvaient sur le pas de la porte du commissariat Ramponneau, Nourdine ayant récupéré la boîte de peinture, Éric ayant hérité du sac à dos de Nourdine.

Un scrupule étrange saisit Nourdine au moment de la séparation. Il fut absolument stupéfait de s'entendre dire, un doigt dissuasif secoué sous le nez du petit rouquin :

– Et finies les conneries, hein, Éric ? La cambriole, les batteries de cuisine, les puces et tout ça... tu vois où ça mène...

– C'est pas moi, m'sieur...

(Qu'est-ce qui me prend ? Qu'est-ce qui me prend de lui dire ça, moi ? Et l'autre, là, avec son regard de faux-cul, « c'est pas moi, m'sieur »... Pas étonnant qu'il ait fini flic...) Toutes pensées passablement contradictoires, mais ce n'était pas le moment de les dénouer. Nourdine griffonna en vitesse quelques mots sur un carnet de contraventions et les tendit au gamin :

– Tiens, c'est mon adresse. Au cas où tu aurais besoin d'un coup de main, il y a ma sœur, là-bas. Elle s'appelle Rachida.

★

La sœur en question commençait à râler ferme dans le pavillon familial. Petit déjeuner prêt depuis un quart d'heure, et ni le père ni le frère n'avaient daigné se montrer.

– Tu vas voir qu'ils vont réussir à me mettre en retard.

Rachida détestait la seule idée du retard. Non par peur de qui que ce fût, mais être femme, « deuxième génération » et déléguée du personnel, cela faisait trois excellentes raisons pour arriver à l'heure dans son entreprise. « Je ne vais pas leur donner des arguments supplémentaires pour m'emmerder ! »

– Papa ! Nourdine !

Maison silencieuse.

– Est-ce qu'il est rentré, au moins, celui-là ?

Rachida avait pris l'habitude de parler seule depuis que son père avait opté pour le silence et Nourdine pour la dissimulation.

- Il aura pas passé la nuit dehors, quand même ?

Ça, elle refusait d'y croire. Si fort qu'elle se retint d'aller vérifier dans la chambre de Nourdine. D'ailleurs, les temps étaient révolus où elle s'autorisait à entrer chez son frère. Jusqu'à l'année dernière, oui, et elle lui lisait des histoires. Puis, insensiblement... bref c'était fini.

Elle jeta un coup d'œil à sa montre.

– Et s'ils me virent, moi, qui est-ce qui défendra les autres ?

C'était peut-être la meilleure définition de Rachida . la défense. Et pas exactement passive. La hiérarchie de sa boîte ne s'y trompait pas.

– Tant que je suis là, on ne touche à personne.

Ces considérations professionnelles qui se mêlaient aux soucis familiaux l'agacèrent. Ça faisait désordre dans sa tête de documentaliste.

– Je vais pas laisser ma tête ressembler à la chambre de Nourdine !

Avec la soudaineté habituelle à ses décisions, elle plongea dans l'escalier qui menait au garage, pour signifier à Ismaël son père que, désormais, les hommes se serviraient eux-mêmes dans cette maison.

– S'ils ne sont pas foutus de se réveiller à l'heure...

Seulement, dans la pénombre du garage, le matelas du père était vide.

Il n'y avait que cette odeur de peinture.

Le matelas.

Le poêle éteint.

Une djellaba et un burnous en tas sur le tabouret, face à la mer.

– Il est parti ?

Elle alluma.

– Papa ?

Pas de papa.

Quelque chose d'étrange, tout de même, dans

ce sépulcre... Une atmosphère qui requérait l'immobilité et le silence absolu. Bientôt, Rachida entendit une respiration. Très légère... Comme un aller retour dans une poitrine d'oiseau... Le tas formé par la djellaba et le burnous se gonflait et se dégonflait imperceptiblement.

– Qu'est-ce que c'est que ça, encore ?

Elle se rendit face à la mer, releva le capuchon du burnous, se pencha, et découvrit quelqu'un dans la laine. Un tout petit quelqu'un, en fait. Un gamin minuscule, rondouillard et profondément endormi. Un visage de lune inexprimablement paisible. Des paupières d'enfant aux cils immenses, closes sur la paix du monde. Quelque chose fondit en elle. Elle n'osa pas réveiller ce veilleur de songes. Juste, elle murmura :

– Qui tu es, toi ?

La réponse, ce fut la porte du garage, ouverte brusquement, et l'apparition d'un grand flic beur qui portait une boîte de peinture en bandoulière. Le grand flic ressemblait comme deux gouttes d'eau à Ismaël. Rachida balbutia, incrédule :

– Papa ?

Le grand flic ne dit que deux choses. L'une à Rachida :

– Tu as vu l'heure ? Tu vas être en retard au travail ! Mauvais pour l'intégration, ça.

Et la deuxième au bambin endormi :

– Allez, viens, papa, on s'en va.

Rachida vit le grand flic prendre l'enfant dans ses bras et disparaître comme il était venu. Elle ne retrouva l'usage de la parole qu'une demi-heure

110

plus tard, à son arrivée au bureau, quand son patron lui fit observer :

– Dix minutes de retard, mademoiselle Kader.

– À soustraire aux trente heures supplémentaires que vous me devez.

★

Difficile d'établir le compte exact des questions
posées dans les têtes de Joseph et de Nourdine
depuis leurs réveils respectifs. La plupart concer-
naient bien entendu la réalité des faits. Ils se sentaient un peu seuls pour en juger. La pleine conscience de leur métamorphose s'accommodait mal
du naturel avec lequel les petits semblaient vivre
la leur.

J'aurais dû cuisiner Éric, se reprochait Nourdine. Lui faire raconter la journée d'hier, par
exemple. J'ai été con.

Oui, parce que, lorsque Nourdine avait essayé
d'interroger son père : « Ça va, papa ? », Ismaël
avait levé vers lui ce même regard envahi d'hori-
zons qu'il posait sur toute chose depuis qu'il
s'était mis à la peinture. (Y a pas de doute, c'est
papa.)

– Je t'ai acheté une boîte de pastels, papa. Je
croyais que c'étaient des peintures mais c'est du
pastel.

Et « papa » avait remercié d'un adorable sourire
muet.

Oui, c'était bien Ismaël rendu à son enfance.
Quant à savoir s'il avait eu conscience de son ré-

111

trécissement nocturne, inutile d'insister, ce devait être le cadet de ses soucis.

– Qu'est-ce que vous avez fait hier ? demandait Joseph de son côté, à un Pope et une Moune barbouillés de confiture et plâtrés de chocolat.

Ils étaient installés dans la cuisine où Joseph avait bricolé un petit déjeuner approximatif.

– On a déchiné, répondit Pope, la bouche pleine.

On a quoi ? se demanda Joseph.

– On a déchiné et on a colorié auchi, précisa Moune.

– À l'école ? demanda Joseph.

Les deux enfants levèrent sur lui ce regard d'évidence qui dit toute la stupidité de certaines questions adultes.

– Bien chûr, qu't'es bête !

Et Joseph se souvint, en effet, que ses parents s'étaient connus à la maternelle de la rue des Bois, oui (c'était un des récits familiaux inévitables, les jours de fête), puis qu'ils s'étaient retrouvés ensemble à la communale, rue de Savies, d'où Joncheville père avait retiré Moune (dite, à l'époque, Jeannette) pour cause de « promiscuité dégradante » (à ce stade du récit, Pope disait : « Oui, j'étais une promise cuitée des Gradantes » ; il ajoutait : « Où est-ce, les Gradantes ? » et toute la table se marrait), et que, toutes les années suivantes, on avait interdit à Moune de jouer avec lui (une façon de pimenter leur amour aux délices de la clandestinité) jusqu'à l'exiler, adolescente, dans un collège suisse d'où Moune s'était évadée le jour de ses dix-huit ans pour plonger à vie dans le lit de Pope.

– Vous avez dessiné quoi ? insista Joseph.

– Des ourches.

– Des quoi ?

– Des ours ! Tu entends pas ?

Des ours. Hier, ils ont dessiné des ours... Ils avaient une instit qui s'appelait Mlle Lambesc et qui leur faisait dessiner des ours... Hier, ils n'ont pas habillé maman Stilman, ils ont dessiné des ours avec Mlle Lambesc. Bon.

– Pourquoi tu nous demandes ça ?

– Parce que...

– Parce que quoi ?

Oh, non, pitié...

Soudain, Joseph fut tenté de leur déballer l'affaire telle quelle, sans ménagement : voilà, moi, Joseph, hier soir, j'étais un garçon de douze ans et sept mois, et vous, vous étiez mes parents, mais dans la nuit, à cause d'un devoir que j'avais à faire, je suis devenu grand, et vous... Seulement, le peu d'expérience que Joseph avait acquis depuis son réveil l'en dissuada. Cette histoire extravagante paraîtrait parfaitement naturelle au nouveau Pope et à la nouvelle Moune, vu que c'était précisément une histoire « de leur âge », selon l'expression consacrée. Soit elle les passionnerait, et Joseph disparaîtrait sous l'enthousiaste avalanche des « pourquoi » et des « encore », soit Pope et Moune s'en foutraient complètement, et ils continueraient à saloper la table de la cuisine en s'empiffrant comme des évadés.

10

Non, la seule solution consistait à confronter jusqu'au bout cette situation avec la réalité objective telle qu'elle se présenterait, sans chercher à l'éviter. Pour ce faire, il fallait accomplir les gestes domestiques dans le bon ordre. Joseph en fit une liste mentale :

1) M'habiller avec les fringues de Pope.

2) Habiller les parents. Je peux quand même pas dire « les enfants » ! (Il y avait un couple de nains dans la vitrine de la boutique, des mannequins habillés en mariés. Leurs vêtements feraient l'affaire.)

3) À propos de la boutique, fermer la boutique.

4) Trouver une excuse pour fermer la boutique. Faire une petite affiche, comment on appelle ça ? Une pancarte, plutôt. Un écriteau ! C'est ça, un écriteau. Écrire un écriteau, comme quoi c'est fermé, quoi.

5) ...

Il n'y avait pas de n° 5. Ou plutôt le n° 5 n'était pas envisageable comme simple numéro d'ordre. Il englobait tous les imprévus de la journée : les explications à donner aux gens de connaissance que Joseph croiserait, les coups de téléphone aux-quels il ne saurait pas répondre, les courses à faire — mais surtout pas chez les commerçants du quartier ! —, les jeux des enfants, dont l'autono-mie commençait déjà à s'essouffler : « Pourquoi tu joues pas avec nous ? »

Tandis qu'il tentait l'impossible inventaire du nº 5, Joseph sentit monter en lui une envie de pleurer qui datait de la veille, quand Igor l'avait laissé tomber... Non, de plus loin encore... Une révolte de l'enfance bafouée, un sentiment d'irré-parable injustice, d'abandon absolu, de solitude rédhibitoire, mais venu de la nuit des temps, un chagrin ontologique qui, tout à coup, lui parut le lot atroce de la condition humaine.

Il quitta la cuisine en étouffant un sanglot et se rua dans la chambre de ses parents pour y piocher dans les vêtements de son père. Pendant qu'il s'habillait, il fut tenté de téléphoner à Rabbi Razon. Rabbi Razon ! Bouffée d'espoir ! Mais l'espoir se dégonfla devant la nécessité d'expliquer la chose au rabbin de la famille. Comment *expli-quer* ça ? Et par téléphone, encore ! Même à Rabbi Razon. Et puis, Joseph le connaissait bien, cousin Samuel. Cousin Samuel était un homme de Dieu ; il écouterait Joseph en silence, réfléchirait en silence, et, de sa voix presque silencieuse, donnerait à tout ça une explication satisfaisante pour l'esprit — mais pour l'esprit seulement. (« L'homme est une constante variable », genre.) À moins que Rabbi Razon n'entrât dans une de ses interminables palabres avec Dieu en personne, et n'en ressortît, comme c'était souvent le cas, furieux et compatissant :

– Désolé, mon petit Joseph, mais Dieu l'a voulu ainsi.

Voulu par Dieu ! Je suis pas dans la merde, s'il m'explique que c'est voulu par Dieu !

Non, non, cousin Samuel était un brave homme mais une mauvaise solution. Non, il fallait chercher ailleurs... remonter à la source...

La source...

Crastaing !

Crastaing !

Joseph se rua dans la cuisine :

– Pope, Moune, descendez avec moi dans la boutique, que je vous habille !

★

Il était neuf heures quarante quand les élèves de la 5e2 virent un grand type à l'air hagard et aux pantalons trop courts faire irruption dans leur classe. Par la porte grande ouverte ils pouvaient apercevoir derrière lui deux nains en costume de marié qui se trémoussaient sur le banc du couloir. A priori, le spectacle appelait la rigolade, mais il se trouve qu'à cette heure de la matinée la 5e2 était placée sous l'autorité d'un certain Crastaing.

Le grand type resta un instant pétrifié, la poignée de la porte dans sa main aux phalanges blanchies, puis il finit par balbutier :

– Mon fils... Joseph... Pritsky... malade...

M. Crastaing eut un sourire qu'aucun des élè-

116

ves présents, faute de vocabulaire, n'aurait pu qualifier d'« entendu », mais qui l'était bel et bien.

CRASTAING (sourire entendu) : Crastaingite, j'imagine ? Comme le jeune Kader...

Puis, se retournant vers Igor Laforgue :

– Vos complices n'ont pas votre cran, Laforgue.

Remarque qui entraîna une réaction parfaitement inattendue de « l'homme à la porte ». Brusquement écarlate, il se mit à hurler d'une voix de stentor :

– Qu'est-ce que vous voulez dire, avec votre cran ? Vous croyez qu'il faut du courage, pour faire vos devoirs à la con ? Décrivez votre famille par-ci, décrivez votre famille par-là !... Vous savez qu'il y a pas plus chiant que vos rédacs de merde ? Vous en avez déjà fait une, vous, de vos rédacs ? Une seule ? Non ? C'est ça, votre « cran » à vous ? Demander à des élèves de faire ce que vous êtes même pas capable de faire vous-même ?

La classe de M. Crastaing, habituée pourtant au silence, sentit dans celui qui suivit une qualité plus... comment dire...

– Monsieur Pritsky, dit finalement un Crastaing très maître de lui, notre rendez-vous est pour jeudi.

– J'irai pas, à votre rendez-vous ! hurla l'homme aux pantalons trop courts. Vous pouvez vous le coller au cul, votre tête-à-tête de merde ! C'est fini, tout ça ! Plus jamais, les « petites conversations avec monsieur votre père » ! Vous m'entendez ? Plus jamais !

On aurait juré que le silence gagnait les autres

classes, se répandait hors du collège, pétrifiait la ville, gelait la circulation automobile.

– Terminé ! Point final !

Sur quoi le grand type claqua la porte et l'on se prépara à entendre dégringoler toutes les vitres du quartier.

Non, ce fut la voix d'Igor Laforgue qui s'éleva :

– Monsieur Pritsky !

Igor Laforgue se ruait vers la porte.

– Laforgue, à votre place !

Mais Laforgue était déjà dans le couloir et la porte claquait une deuxième fois.

*

Si on se place du point de vue d'Igor, l'interruption tombait à pic. Une seconde avant l'arrivée de Joseph adulte, Crastaing réclamait sa punition à Igor. Ce qui donnait à peu près le dialogue suivant :

IGOR : Je ne l'ai pas, monsieur.

CRASTAING : Dois-je comprendre que vous ne l'avez pas faite ?

IGOR : Oui, monsieur, vous devez le comprendre.

CRASTAING (ironie légère) : Est-ce à dire que vous n'avez pas trouvé le temps de faire ce devoir, Laforgue ?

IGOR : Pire, monsieur. C'est-à-dire que j'ai *décidé* de ne pas le faire.

CRASTAING : Délibérément ?

IGOR : Oui, monsieur, sans aucune excuse. Et

118

pour une petite conversation avec monsieur mon père, ça risque d'être duraille.

Dialogue qui avait déjà contribué à établir un silence respectable. Crastaing s'était octroyé une petite pause après la dernière phrase d'Igor, puis :

– Je connais votre situation de famille, Laforgue ; elle est comme toutes les situations douloureuses, il ne faut pas en abuser. Un peu de décence, je vous prie.

(Au risque de passer pour un père indigne, et sans vouloir une seconde désavouer Igor, je trouve une certaine noblesse à la réponse de Crastaing. Noblesse n'est peut être pas le mot juste... disons, un solide fondement éthique. Le duel devenait passionnant. D'un côté le Chevalier en rupture d'Ordre, qui refuse de se soumettre à l'Épreuve, et de l'autre le Grand Ordonnateur des rituels, pour qui tout décret porte sa fin morale et toute transgression sa charge iconoclaste.)

Malheureusement, c'est à cette seconde que la porte s'est ouverte sur un Joseph hirsute qui tenait à peine dans les vêtements de son père. Un Joseph déchaîné qu'Igor poursuit maintenant dans le couloir, en braillant :

– Monsieur Pritsky !

Lequel M. Pritsky se trimbalait avec les deux nains extravagants qui trônaient jusqu'à présent dans la vitrine de sa boutique.

Il est complètement bourré, se dit Igor. Il a disjoncté quand Joseph a fait sa tentative de suicide, et il s'est soûlé la gueule pour venir se payer Crastaing. Mais qu'est-ce qu'il fout avec ces nains ?

– Monsieur Pritsky ! C'est vrai qu'il est malade, Joseph ? Je veux le voir !

« M. Pritsky » s'arrêta pile. Et il se retourna, un nain à chaque main.

C'est pas des nains, pensa Igor, c'est des mômes.

« M. Pritsky » demanda, avec un rien de menace dans la voix :

– C'est ton copain, Joseph ?

– Ben oui, vous le savez bien...

– Après ce que tu lui as sorti hier soir au téléphone, tu crois que c'est encore ton copain ?

Là, Igor marqua le coup et regarda ses baskets.

– Je sais, j'ai été con, j'étais crevé, complètement nase, je m'excuse.

Ce qui eut l'air de calmer l'autre, un peu.

– Bon, si c'est ton copain, tu veux lui être utile une fois dans ta vie ? Tu veux lui donner un coup de main, un vrai ?

– Tout ce qu'il veut. Qu'est-ce qu'il a ?

Et « M. Pritsky » sortit un truc plus dingue que tout le reste :

– Alors, fais le devoir de Crastaing !

Igor en resta comme deux ronds de flan.

– Pourquoi ça aiderait Joseph, que je fasse cette rédac ?

– Fais ce qu'on te dit, bordel de merde ! Faut toujours vous mettre les points sur les « zi », à vous autres, les mômes !

Cela hurlé à pleins tuyaux, en se barrant avec les petits mariés qui dévalaient comme ils pouvaient l'escalier du collège, au bout de ses grands bras.

120

C'est ici qu'Igor se précipita et que, la moitié
du corps au-dessus de la rampe, il se mit à gueuler dans la cage d'escalier :

– D'accord, je la fais, la rédac, là, oralement
même, devant vous ! Je suis transformé en adulte,
voilà ! Le cresson a poussé autour de la fontaine !
Mes panards pendent de l'autre côté du pieu !
J'ai les gencives qui saignent et je pue du goul-
ot ! Je divorce demain, j'ai pris une murge d'enfer
et j'ai paumé ma carte d'électeur ! Avec ça, je
bande comme un cheval abandonné ! Ça vous
va ?

Du hall, tout en bas, monta la réponse de
« M. Pritsky » :

– Très bien, mets-moi ça par écrit, et viens voir
Joseph quand ce sera fait !

– D'accord, je rentre chez moi et je la fais tout
de suite.

Lanval, le directeur, et Foiriez (« On ne court
pas dans les couloirs ») avaient fini par sortir de
leurs bureaux. Ils s'approchaient prudemment de
la rampe. Lanval avait toujours eu son opinion
sur la « motivation » en matière de travail scolaire.

– Vous voyez... Foiriez... l'amitié... ça motive...
il faudra y penser... pour la... je veux dire... notre
prochaine réunion.

Et, à Crastaing, qui les avait rejoints :

– Une nouvelle méthode péda... ? C'est... vivant... très !

★

– Tu vois, papa, là-bas, c'est la mer.

C'était émouvant, ce grand flic beur, qui, de la passerelle du pont des Arts, offrait l'horizon à ce petit peintre en djellaba et burnous. Et comme les pastels du gamin saisissaient les nuances du ciel ! Ce liseré bleu tremblant, par exemple, sous la masse plombée des nuages... et les reflets dans le sombre miroir de la Seine ! Non, un phénomène, ce gosse ! Doué à un point...

– D'autant qu'il n'est pas facile à saisir, ce bleu Île-de-France !

– Ah ça, plus d'un s'y est cassé les dents !

– Il y a dans sa lumière une pureté, une transparence tellement...

– Surtout vers la fin de l'été ou dans les premières semaines d'automne...

– Très étrange, d'ailleurs, cette limpidité, malgré toute la pollution...

– Non, ce gosse est sidérant. Un coloriste... remarquable !

– Sidérant, c'est le mot...

– C'est votre fils, monsieur l'agent ?

Voilà la question que j'attendais, se dit Nourdine, en admirant le travail d'Ismaël comme tous les badauds qui leur faisaient une auréole. Si cette bonne femme m'avait demandé : « C'est votre père ? », alors là oui, je pourrais me dire que je rêve. Mais « C'est votre fils ? », vu papa comme on le voit maintenant, ça colle, c'est la réalité.

– Oui, madame. Il s'appelle Ismaël.

Et de fournir une explication en prime :

– C'est mon jour de congé. Mes jours de

congé, je l'emmène aux pastels, depuis tout petit !
Pour pas qu'il perde la main.

– Vous avez raison. Il est doué, vraiment. Il
est... muet ?

– Silencieux, madame. Après, on se fait le
Louvre.

– Ça ne peut que lui faire le plus grand bien...

– Un don pareil, ce serait un vrai gâchis de ne
pas le cultiver.

... Pendant que les pastels d'Ismaël couchent
les couleurs éphémères sur le sable du papier...

... Et que l'humanité de la passerelle change de
rive, avec au cœur le soulagement d'une intégration possible, tout de même, malgré tout, quoi
qu'on en dise, mais si, enfin peut-être...

...

(– Ironie lassante, me reprochait Tatiana à nos
débuts, quand elle me voyait cette humeur nar-
quoise. C'est facile de ne croire en rien, de se mo-
quer de tout le monde...

– Je ne crois qu'aux actes, mon amour. Aux petits actes. Les tout petits. Les chiants. Ceux qui
font le bonheur du jour et du périmètre, pas plus.
Quant aux paroles... Nous avons beaucoup parlé,
ma génération et moi, beaucoup, vraiment... Tu
vois le résultat ?

– Et les sentiments ? demandait Tatiana.

– Des sensations qui ont pris la parole.

– C'est agréable à entendre. Vive l'amour...

– L'amour, mon amour, est une somme de petits actes qui racontent en silence une histoire pré-
caire...

· Et si on s'offrait un petit acte, là, maintenant, pour corser l'addition ?

Ce fut ce petit acte, là, qui mit Igor en chantier.)

11

– Voilà des journaux, des feuilles blanches, crayons, colle, ciseaux... Moune, tu dessines les robes. Pope, tu coupes, tu colles, tu agrafes. Vous vous amusez, quoi, sans vous disputer, et moi je dors, parce qu'il faut que je pense. D'accord ?

Dans l'éventualité d'un refus, Joseph avait précisé :

– On ne me réveille pas. Sous peine de mort !

Oui, Joseph s'était endormi en rentrant du collège, son grand corps recroquevillé sur le canapé du salon, dans la certitude qu'il se réveillerait sur son lit d'enfant, avec sa taille d'enfant, ses préoccupations d'enfant, sa peur enfantine des colères de Pope, son enfantin désir de ne jamais décevoir Moune, qu'il se réveillerait avec son premier bouton de fin d'enfance, à la rigueur, un enfant qui jouait les prolongations, d'accord, qui en aurait fini avec l'enfance dans six mois, un an au plus tard, mais pas avant... Pas avant ! Joseph s'était endormi dans le sourire de cette certitude. Parce qu'on peut changer de rêve, bien sûr, faire plusieurs rêves dans la même nuit, ça s'est vu, mais se réveiller dans le même cauchemar après un aller retour au collège et une si belle engueulade avec Crastaing, là non, ce serait trop...

Ce *fut* trop.

Joseph se réveilla sur le canapé du salon. Bouche pâteuse, dos cassé, membres noués.

Pope et Moune, assis à ses pieds, attendaient ce moment dans une impatience immobile. Deux nains en tenue de marié et des débris de revues dans tout le salon, pas de doute.

Joseph n'eut même pas la force de ne pas y croire

– Ça continue...

Alors, dans cette fin de matinée que la peur éternisait, Joseph laissa retomber ses paupières et se souvint d'une conversation lointaine, peut-être prémonitoire. C'était le jour de ses dix ans, au déjeuner de son anniversaire. Une conversation sur l'enfer. Il y avait là Pope, Moune et Joseph, Rabbi Razon bien sûr, Igor évidemment, et les parents d'Igor, Pierre et Tatiana Laforgue, entre autres invités... le père d'Igor était encore vivant.

...

Je confirme. Je n'étais pas encore mort. Transfusé, déjà, sur la route, soit, mais censé l'ignorer. Ma vie ressemblait à un convoi funèbre que Dame Médecine maquillait en croisière de plaisance. On me vendait une longue agonie au prix d'une brève convalescence. Je faisais semblant d'y croire et tout le monde y trouvait son compte. Bref, Tatiana et moi étions bel et bien assis à la table des Pritsky, ce jour-là. D'ailleurs, nous partagions tous les anniversaires de Joseph depuis que les petits et leurs mères s'étaient rencontrés à

126

la maternelle de la rue des Bois. De vrais créchons, Igor et Joseph ! Mieux que des jumeaux. Des monozygotes de quartier. D'où le tandem, et la mutuelle sympathie des parents.

Une conversation sur l'enfer, donc...

– Quand j'étais petite, racontait Moune Pritsky, et que je me sauvais pour aller jouer avec Pope, mon père me menaçait de l'enfer.

– De l'enfer, s'était exclamé Tatiana, rien que ça !

– C'est quoi, l'enfer ? avait demandé Joseph, que Moune et Pope Pritsky tenaient à équidistance de leurs religions respectives.

Toutes les têtes s'étaient tournées d'instinct vers Rabbi Razon, qui avait avalé sa bouchée, réfléchi soigneusement, et répondu :

– L'enfer, mon petit Joseph, c'est, chez les goys, après la mort, pour l'éternité, un détail auquel les méchants ne s'habituent pas.

– Quoi, comme détail ?

– Ce n'est pas le détail qui importe, c'est l'éternité.

– Une envie d'éternuer, par exemple. (C'était de moi, cette intervention, ma contribution au colloque sur l'enfer.) Imagine ça, Joseph. Tu as été très méchant, tu as éternué sur tout le monde toute ta vie, sans mettre la main devant, parce que tu adorais ça, voir leur tête quand tu leur éternuais dessus, et voilà que tu meurs avec une délicieuse envie d'éternuer. Tu as l'éternité devant toi, cette envie magnifique d'éternuer, des tas de gens à arroser tout autour... et tu ne peux pas... Tu vois ? Tu es content comme tout, tu te dis : je vais enfin pouvoir éternuer autant que je veux, sur qui je veux, pour les siècles des siècles ; mais voilà... tu veux, tu veux et tu ne peux pas... L'enfer !

– Mon enfer à moi, si j'étais goy, renchérit Pope Pritsky pendant que les bouteilles tournaient, ce serait de fêter l'anniversaire de Papidoux Joncheville toutes les minutes de tous les jours jusqu'à la fin des temps.

Moune l'avait rassuré aussitôt :

– Pas de danger, Papidoux n'acceptera jamais un juif dans son enfer. Il se contente de boire ton champagne.

– Et le paradis ? avait demandé Igor, que Tatiana et moi élevions dans la même jachère religieuse.

– Le paradis, c'est le contraire, avait répondu Tatiana.

Comme exemple de ce « contraire », elle nous avait désignés d'un coup de menton, Igor et moi :

– Le paradis c'est d'adorer pour l'éternité deux crétins qui vous mènent une vie d'enfer.

– Un jour, j'ai rêvé que ma vie ne finirait jamais, dit soudain Joseph.

Et la table se tut.

– Ma vie ne finissait pas, ça recommençait, ça recommençait...

Silence général.

– Ma vie recommençait toujours pareil, il n'y avait plus de surprise...

Tous les regards s'étaient figés dans l'inquiétude de sa conclusion :

– Et alors ? demanda enfin Igor.

– Alors ? C'était l'enfer.

Je rappelle que cela se passait autour d'un gamin dont nous fêtions le dixième anniversaire. Ce fut Rabbi Razon qui dégela l'atmosphère :

– Si je ne surveille pas tes lectures, mon petit Joseph, tu vas finir rabbin.

Sur le chemin du retour (Igor était resté dormir chez les Pritsky), Tatiana s'était étonnée de l'inquiétude des adultes au récit de Joseph. Elle ne trouvait rien d'alarmant à ce rêve, elle.

– Ah bon ? dis-je. Un mouflet de dix ans qui a peur de ne jamais mourir, ça ne te paraît pas un peu...

– Du tout. Parfaitement normal. Les enfants commencent tous par la métaphysique, les adolescents continuent avec la morale, et nous les adultes, nous finissons dans la logique et la comptabilité.

– Alors, je dois être un homme à l'envers, dis-je, parce que moi, j'ai *commencé* par la comptabilité.

– Toi ? Un enfant comptable ? Tu n'es même pas foutu de remplir tes feuilles de Sécu.

– Parce que j'ai cessé de compter le matin de mes dix ans.

– Raconte ! Pierre, raconte, bon Dieu ! Arrête de me trimbaler, salopard !

Tatiana me battait quand elle était impatiente. Ce que j'ai pu aimer ça...

– Le matin de mes dix ans, dis-je en l'immobilisant, j'ai fait mon petit calcul. La veille, j'avais 9 ans, ce matin-là 10 : je venais de passer de un à deux chiffres. Et tu sais ce que je me suis dit ?

Que je n'avais pas la moindre chance de passer à trois chiffres ! Ça m'a sapé le moral pour le restant de mes jours.

Silence léger, tendre fonte de Tatiana dans mes bras.

— Hypocondriaque dès le départ, mon pauv' Pierrot. Allez, tu sais bien qu'avec tous tes bobos, tu nous enterreras tous.

Tatiana me servait rarement de ces formules toutes faites, « tu nous enterreras tous », mais je dois bien l'admettre aujourd'hui, il y avait du vrai dans ce qu'elle disait : mourir, c'est enterrer tout le monde en une seule fois.

★

D'une humeur infernale, donc, Joseph Pritsky, dans la cuisine, ce midi-là.

— Vous mettez la table ! Assiettes, couverts, tout. N'oubliez rien !

De tous leurs instincts d'enfance retrouvés, Pope et Moune s'exécutaient sans moufter, pendant que Joseph barattait une purée mousseline qui « virait béton ». (L'expression est de lui.)

— Bordel, j'ai pas mis assez de flotte.

Dans la poêle voisine, un couple de boudins rissolait en crachotant sous un nuage toxique.

— Boudin purée, j'espère que vous aimez, parce qu'il y aura rien d'autre.

Assis à leur place, les mains posées bien à plat devant eux, Pope et Moune se promettaient d'adorer le boudin.

Le coup de sonnette résonna d'autant plus fort dans le silence.

– Je vais ouvrir ! hurla Pope en bondissant de sa chaise.

– Assis, Pope !

Pope assis, on sonna une deuxième fois. Comme si de rien n'était, Joseph plongea dans la purée et remplit les assiettes à coups de truelle.

Dehors, le sonneur ne retirait plus son doigt du bouton.

– C'est quoi, ce con ? marmonna Joseph en passant de la cuisine à l'entrée. Qui c'est ? hurla-t-il en collant son œil au judas.

Pas de réponse. Sonnerie continue. Œilleton bouché.

Joseph enclencha la chaîne de sécurité et entre-bâilla prudemment. La porte s'ouvrit sous une poussée si violente que la chaînette sauta. Dans la même seconde, Joseph se retrouva plaqué au mur par un mastard plus large que haut et qui lui murmurait dans les yeux :

– Pourquoi tu m'as fait faire cette rédac, espèce d'enculé ?

Nom de Dieu..., pensa Joseph.

Et, instinctivement :

– Igor, t'aurais jamais pu comprendre, autrement.

Igor (car c'était lui, comme on disait dans les livres de ma propre enfance — mais où a-t-il pê-ché ces maxillaires de dogue, cette densité muscu-laire, toute cette puissance ? Que reste-t-il de moi dans cette enclume en mouvement ?), Igor adulte donc, opposait un sourire carnassier à son vieux créchon (même ses dents paraissaient musclées) :

— C'est toi qui vas comprendre, mon salaud. Je vais te foutre la branlée de ta vie.

Projet interrompu par une petite voix atrocement aiguë, qui glapit, furibarde :

— Quand tu l'auras tué, tu pourras p't'êt' me trouver une robe de mon âge !

— Qu'est-ce que c'est que ça ? demanda Joseph.

« Ça », c'était une gamine cramoisie, plantée sur le seuil de l'appartement dans une robe qui aurait pu, c'est vrai, lui servir de parachute.

— Ma mère, répondit Igor sans lâcher sa proie.

— C'est ta mère, ça ? intervint une nouvelle voix, à la porte de la cuisine.

Pope et Moune ouvraient les yeux de l'incrédulité enfantine. (Toujours un peu trop grands, les yeux de l'incrédulité enfantine.) Igor corrigea :

— Tatiana, quoi. Elle s'appelle Tatiana.

La diversion permit à Joseph d'ébaucher une plaidoirie :

— Igor, tu vas pas me tuer, quand même ! Tu vas pas faire deux parents orphelins !

— C'est ça, essaie de me faire marrer.

La poigne d'Igor insista et Joseph vira au violet. (Mais nom d'un chien, où Igor a-t-il déniché une force pareille ? Il n'y a pas eu un seul sportif en douze générations, chez nous. C'était pratiquement dans nos contrats de mariage ! Un Cosaque zaporogue du côté de Tatiana ? La lignée Tarass Boulba ?)

— Tatiana ? C'est quoi, comme prénom ? demanda Pope, avec l'insouciance d'un enfant qui sautille dans un champ de mines.

– Russe ! Ça te dérange ? répondit la naine au parachute.

– Russe ou chinois, moi je m'en fous.

– Et toi, tu t'appelles comment ? demanda la parachutiste en suivant Pope et Moune dans la cuisine.

– Pope.

– Pope ? Tu parles d'un prénom !

– Pope, c'est un joli prénom, fit Moune.

– Joli comme ça, oui !

Et Tatiana de plonger un doigt dans sa bouche qui ressortit — *plop !* — bouteille qu'on débouche. Pope lui lança un regard meurtrier. Sur ce front aussi, on était à deux doigts du conflit armé. Ce qui fit dire à Igor, en désignant sa mère d'un coup de tête :

– Tu trouves qu'elle était pas assez chiante adulte ?

Joseph y vit une ouverture :

– Venez vous installer avec nous, gargouilla-t-il, ce sera plus facile pour tout le monde.

Il désigna la cuisine du coin de l'œil :

– On est en train de bouffer.

Igor hésita, décida, revint sur sa décision, hésita encore, et lâcha Joseph d'un seul coup :

– Tu es un beau salaud, mon salaud.

Le beau salaud respira profondément en se massant le cou. Puis :

– Amène-toi.

Dans la cuisine, Joseph présenta tout le monde avec la phrase unique du soulagement :

– Moune, Pope, voilà Igor et Tatiana, ils vont habiter avec nous. Tu aimes le boudin, Tatiana ? Et toi Igor, boudin purée, ça te branche ?

Tatiana dédaigna le boudin. Sa petite main brandit une chaussure vernie, affreusement disproportionnée, dont le talon aiguille bâillait comme un échassier :

– Merde, j'ai pété mon talon dans l'escalier Tu peux me réparer ça ?

C'était à Pope que la question s'adressait.

– Quand on aura fini de manger, dit Pope en portant une cuillerée de purée à sa bouche.

– Tout de suite, rétorqua Tatiana, tout de suite ou c'est la guerre.

– Alors, c'est la guerre !

La purée traversa la cuisine en sifflant, passa au-dessus de Tatiana, s'écrasa contre la large poitrine d'Igor. Purée pour purée, Tatiana riposta, mais à la louche, et dans les hurlements de Moune qui tentait de vaines négociations.

– Arrêtez ! Faisez pas les cons ! Faisez pas les cons !

Ce fut le moment que choisit le boudin oublié pour prendre feu dans la poêle à frire, pendant que Pope, déséquilibré par la contre-attaque de la Russe au parachute rouge, basculait avec sa chaise en tentant de s'agripper à la nappe, qui suivit le mouvement, bien sûr... purée, verres, assiettes, couteaux, fourchettes, pot à eau...

12

Sur le front de l'enfance, les guerres cessent comme elles commencent. Après le Stalingrad de la cuisine, les belligérants décidèrent d'un commun accord que le salon ferait la meilleure des infirmeries. Pope, allongé sur le canapé, un torchon bourré de glace sur la tête, comme un vrai blessé de cinéma, était soigné par une Moune méticuleuse, pendant que Tatiana racontait l'histoire telle qu'elle avait décidé de la vivre.

TATIANA : On dirait que ce serait comme ça, notre histoire. Moi, je serais le méchant ; Pope, tu serais le héros ; et Moune, tu serais le plus grand docteur de la guerre. Moune, t'es amoureuse de Pope et quand ce sera la paix tu vas te marier avec. Mais en attendant, tu vas avoir très très peur que le héros se fera tuer par les méchants comme moi.

MOUNE (lèvres tremblantes) : I' va mourir ?

TATIANA : I' peut pas mourir puisque t'es amoureuse et que tu vas le marier à la fin !

MOUNE : C'est quoi, amoureuse ?

TATIANA : Violente décharge d'adrénaline, brusque modification du rythme cardio-vasculaire !

(Elle se frappa la poitrine.) Ça cogne là-dedans !
C'est délicieux, à ce qu'il paraît !

Conversation à niveaux sémantique et grammatical imprévisibles, comme Igor et Joseph pouvaient le constater, l'un et l'autre affalés dans les deux uniques fauteuils du salon.

IGOR (l'air mauvais) . Ils se foutent de notre gueule, ou quoi ?

JOSEPH : ...

...

Je ne voudrais me réjouir du malheur de personne, mais le doute que je lis dans le regard de ces deux-là me venge de toutes ces heures où Tatiana et moi débattions à perte de vue pour savoir si Igor était bien un enfant de son âge, avec des préoccupations de son âge, ou un adulte miniature infiltré en douce dans notre couple pour en jauger la maturité.

— Il comprend infiniment plus de choses que tu ne le crois, affirmait Tatiana.

— À partir de quand a-t-il commencé à les comprendre ? demandais-je, penché sur le berceau d'Igor qui, pour le moment, prenait son pied pour une cornemuse.

— Je le vois dans son regard, s'obstinait Tatiana. Il a, par moments, de ces regards...

Jusqu'à quel point l'enfant est-il sujet à l'enfance ? C'est très exactement la question que se posaient Igor et Joseph.

...

IGOR : Enfin, ils savent bien qu'ils ne sont pas de vrais enfants, qu'hier encore ils étaient adultes !

JOSEPH : Je ne sais pas.

IGOR : Comment ça, tu ne sais pas ? Tu ne leur as pas posé la question ? Depuis ce matin !

JOSEPH (désignant Tatiana) : Et toi, tu la lui as posée, la question, à ta mère ? Après tout, elle était encore adulte tout à l'heure, elle !

IGOR : M'en parle pas. Quand je suis tombé dans les pommes, j'ai cru que j'allais crever. Et quand je l'ai trouvée dans cet état en me réveillant, j'ai cru que j'étais vraiment mort. Si tu t'imagines qu'elle m'a laissé le temps de lui poser des questions... C'est elle qui m'a réveillé !

Moune réduisait consciencieusement un drap en charpie pour bander le blessé à qui Tatiana donnait à boire en soutenant sa tête au-dessus d'un verre invisible.

TATIANA : Il a le bras cassé, aussi. On dirait que Pope a le bras cassé, d'accord ?

POPE : Faut du sang alors, beaucoup de sang !

Encre rouge sur drap blanc, attelles, précautions infinies, muet héroïsme du blessé...

IGOR (sombre) : Encore une veine qu'elles aient pas décidé de l'amputer.

JOSEPH : On est dans une sacrée merde...

Un soupçon perça dans la voix d'Igor :

– S'ils font semblant, c'est qu'ils sont vraiment très...

Puis, lentement, il demanda :

– Dis donc, Joseph, t'aurais pas un vieux whisky et un bon havane, qu'on joue aux cons, nous aussi ?

Ce ne fut d'abord qu'une idée vague dans la tête musclée d'Igor, mais qui prit corps petit à petit, et devint un projet. Igor ébaucha même un sourire. Oui, c'est en souriant pour la première fois depuis son arrivée qu'Igor déclara :

— Tu te goures, Joseph, on n'est pas dans la merde. Pas du tout.

— Ah bon ? Tu trouves ?

— Tout ce bordel n'a rien de réel, Joseph. Arrêtons de déconner. On est bel et bien dans un rêve ! Un rêve merdique, d'accord, coriace, d'accord, un rêve de groupe, d'accord, mais un rêve !

— Crastaing a dit que...

— Je sais — « pas de solution de facilité ». Tu vas voir si je vais pas nous trouver une solution de facilité pour nous sortir de ce merdier, moi. Alors, ce whisky, ça vient ?

Et les voilà, le pur malt des grandes occasions sur la table basse du salon, deux verres à bière à la main et un plan de sauvetage dans la tête d'Igor.

— La télé ? Où est-ce que vous avez foutu la télé ?

— Les parents l'ont planquée dans leur chambre depuis mon dernier bulletin. Pourquoi ?

— Parce qu'on va scotcher ces nains devant la téloche, se prendre la biture du siècle, et nous endormir comme des grands pour nous réveiller comme des petits, voilà pourquoi !

— Igor, je l'ai déjà essayé le coup du sommeil, ça marche pas.

— La cuite, ça va marcher !

★

Il existe, dans le 20ᵉ arrondissement, sur les hauteurs de Belleville, à l'intersection de la rue Piat, de la rue des Envierges et de la rue du Transvaal, un promontoire d'où l'on voit tout Paris. Il surplombe d'abord un jardin planté sur l'oubli des immeubles rasés — jets d'eau, pelouses, rochers de béton, fleurs au printemps et gardiens en toutes saisons — puis, c'est Paris. Un Paris que Nourdine connaissait bien : du nord au sud, le grand éventail parisien qu'Ismaël avait peint sur les murs de son garage. Le même.

– C'est là que tu venais quand t'avais pas de client, papa ? Tu garais le taxi et tu regardais ?

Assis en tailleur face au couchant, Ismaël ne répondit pas. Ses pastels moissonnaient les derniers rayons de Paris. Le coup d'œil était sûr, le geste ample et net. Des couleurs écrasées naissaient les couleurs du soir, et c'était comme si la couronne d'admirateurs autour d'Ismaël et de Nourdine voyait pour la première fois le soleil se coucher sous les fenêtres de Belleville.

– Comme il dessine, dis !

– C'est votre fils, m'sieur ?

– Ismaël, il s'appelle.

– Il est muet ?

– Silencieux, c'est pas pareil.

La même scène que sur la passerelle du pont des Arts, ce matin, à ceci près que maintenant Ismaël couchait le crépuscule sur sa grève, et que les commentaires, pour être semblables quant au fond, avaient eux aussi changé de quartier

– Putain qu'il est bon, le nain !

– T'as vu comme il peint, dis !

– C'est pas de la peinture, bouffon ! C'est de la craie.

– C'est de la craie ?

– C'est de la craie mouillée. Tu vois pas ? Ma parole !

– C'est de la craie, m'sieur ?

– C'est du pastel.

– T'as vu les couleurs, dis, t'as vu comme il mélange les couleurs, que ça fait une troisième, une quatrième, une cinquième couleur !

– On dirait qu'il voit jusqu'à l'autre côté de la mer !

– La putain de moi si je dessinais comme ça !

– Il dessine depuis longtemps, m'sieur ?

– Depuis tout petit.

– Tout petit petit petit, alors !

– Très petit, oui.

– C'est vous qui lui avez appris ?

– Non, c'est de naissance.

– Il a la tête en couleurs, alors !

– La tête en couleurs, l'autre !

– On peut dire comme ça, non ? On peut pas dire comme ça, m'sieur ? La tête en couleurs ?

Mais un dernier éclat sur le tesson des Invalides, là-bas, et le soleil rangea ses couleurs, justement.

– Cette fois, c'est l'heure, papa, faut qu'on y aille.

On y alla.

Tout le monde se sépara dans l'illusion bienheureuse d'une police à visage humain.

– Sympa, le keuf, tu trouves pas ?

– Ça n'a pas marché, ton truc, Igor.

– Non.

Deux visages d'adulte dialoguent avec deux visages d'adulte dans la glace piquetée d'un salon.

– Adultes *et* bourrés. Bravo...

Les mots collent aux mots. Les phrases tracent péniblement leur sillon dans l'épaisseur des consciences qui émergent.

– J'ai une de ces envies de rendre...

– Tais-toi...

– Je vais rendre...

– Tais-toi...

Au lieu de retrouver leur enfance, les deux types, de l'autre côté du miroir, ont ramassé dix années de plus, au bas mot.

– Quelle heure il est ?

– ... la nuit.

La petite lampe sur le coin de la cheminée n'arrange pas les choses. Le poids de ces paupières... ces puits d'ombre sous les yeux... Quarante ans de fidélité au pur malt.

– Et les parents ?

– Hein ?

– Les... enfants.

– Les enfants ?

Les enfants... les enfants... Bordel, les enfants !... Joseph fut le premier à s'engager dans le couloir qui menait à la chambre des parents... des enfants. Mais le couloir tanguait foutrement. Igor suivait comme il pouvait. Un mal de mer... S'accrocher aux cloisons des coursives pour arriver, dans cette tempête, jusqu'à la cabine de Pope et de Moune.

– Super, le coup du whisky, Igor.

– Ça va...

– Ramper sur un mur... c'est la première fois que je rampe sur un...

– Ça va...

Il y a trente-six manières de dessoûler. La porte de la chambre enfin atteinte, Igor et Joseph en découvrirent une trente-septième. C'était, derrière ladite porte, une voix de femme qui en demandait encore. « Encore, encore... », suppliait la dame, tandis qu'un monsieur cherchait à savoir si elle aimait « ça ». À vrai dire, ce n'était pas une question que posait le monsieur, plutôt une affirmation, la conviction d'un travail bien fait, l'exigence d'un satisfecit — « Tu aimes ça, hein, dis-le que tu aimes ça ! » Ce que la dame admit par un vertigineux crescendo de « oui » qui explosèrent en un tel hurlement qu'Igor et Joseph se ruèrent dans la chambre, pour voler à son secours.

Dans ce qui était, hier encore, le lit parental, Moune, Pope et Tatiana dormaient du sommeil impérial de l'enfance. Les lueurs de la télévision dansaient sur leurs visages clos, tandis que, dans le poste, la dame et le monsieur recommençaient l'exercice, à l'envers.

– Ah bon...

Igor s'attarda à contempler le visage de la dame qui ne savait que dire oui... au point que Joseph finit par demander :

– Tu la connais ?

– Non, pourquoi ?

– Alors éteins le poste et aide-moi à les coucher.

Déshabiller les enfants, ouvrir le lit, les glisser dans les draps... Joseph souleva doucement Tatiana.

– Non, pas elle. Donne.

Tatiana passa des bras de Joseph à ceux d'Igor.

– Je vais la coucher au salon. Sinon, demain c'est la java. Tu sais pas de quoi elle est capable au réveil

...

C'est vrai. Tatiana n'a jamais supporté une maison endormie autour d'elle. Le monde se doit de se coucher à son heure et de se réveiller avec elle. Comme si, chaque matin, la vie lui était une création personnelle qu'elle remise, chaque soir, sous ses paupières. C'est idiot, bien sûr, mais je ne pourrais pas le formuler autrement. Elle veillait avec moi quand je travaillais jusqu'à l'aube, et elle m'en a voulu à mort de mourir avant elle : « Pierre, Pierre, tu te réveillais trop tard, et voilà que tu t'en vas trop tôt. Salaud ! Salaud ! Oh ! mon pauvre salopard... » Ce furent ses derniers mots. Elle me battait doucement.

...

Dans quelle mine les enfants puisent-ils leur sommeil ? C'est à peu près ce que se demandait Igor en portant Tatiana jusqu'au salon. Mine de plomb, conclut-il en la déposant sur le canapé. Il souffla. Il s'attarda sur son visage. C'était, au fond, la toute première fois qu'il la voyait enfant. Depuis ce matin elle n'avait été pour lui qu'une mère miniature, et voilà que le sommeil lui rendait pour de bon son enfance. Cette expression sur son visage... cet amusement paisible derrière ses yeux clos. Où est-elle ? À quoi rêve-t-elle ? Elle se rêve adulte ? Trente ans de plus, c'est ça ? Avec papa ? Oui, Igor connaissait bien cette expression.

Avec papa...

C'est comme ça que l'idée lui est venue...

Arrête, Igor...

En rabattant la couverture sur Tatiana, en la bordant, cette idée absurde lui est venue.

Igor, arrête...

Pas une idée, d'abord.. Une intuition très vague...

Mais qui s'est mise à enfler jusqu'à emplir tout le volume d'une certitude. Et voilà qu'Igor entend son cœur battre dans cette folle caisse de résonance. Et quand Joseph le rejoint dans le salon, c'est pour s'entendre dire :

— Ta gueule !

Joseph, qui n'a rien dit, ne dit rien.

— Tais-toi !

Joseph confirme qu'il se tait.

Ce colosse aux yeux brillants dans la pénombre du salon est de ceux qu'on ne contrarie pas.

— Joseph, c'est pas un rêve, on est bien d'accord ?

Joseph aimerait bien ne pas être d'accord.

Igor se retourne enfin. Où est-il allé chercher ce ravissement qui lui fait presque une tête de douze ans ?

— C'est la réalité, hein ?

C'est ce que Crastaing voulait, oui...

Les deux pognes d'Igor s'abattent sur les épaules de Joseph :

– Joseph, si c'est la réalité, mon père aussi est
redevenu môme. Tu captes ?

Joseph ne « capte » pas. Pas tout à fait, non.

S'il est môme, il est vivant !

Igor montre Tatiana :

– Et il a son âge... Tu me suis ?

Ça y est, Joseph a capté :

– Je passe devant !

13

Dieu sait que j'aurais voulu lui éviter ça... cette idée imbécile que la mort est réversible... Igor... Igor... L'aller retour, tu parles... On fonde des religions avec ce genre de conneries, ou on écrit des romans qui veulent se faire passer pour des lanternes...

Mais l'espoir d'Igor était trop enfantin, voilà, et l'amitié de Joseph trop malléable... impossible d'empêcher ces deux crétins de claquer la porte de l'appartement, de dévaler l'escalier, de sauter sur leur tandem et de pédaler comme des fous jusqu'au cimetière du Père-Lachaise...

Franchement, j'aurais donné n'importe quoi pour qu'ils se fassent intercepter par les flics...

Mais ils auraient remis ça le lendemain... Suffit d'entendre ce qu'ils hurlent dans la nuit :

– Et puis, s'il est petit, il est pas transfusé !

– Et s'il est pas transfusé, il le sera pas !

– Ça, tu peux compter sur moi !

...

Igor, Igor...

Bon Dieu, comment ai-je élevé ce gosse pour qu'il soit si crédule ? Il aurait fallu... quoi ? Lui dire la vérité vraie dès le départ ? Sur tout ? L'amputer du cœur d'entrée de jeu ? Un bloc de raison et rien d'autre ? Pas la moindre métaphore, jamais ? Même pour habiller un peu l'innommable ? Remplacer les musées par des charniers ? Non, c'était au-dessus de mes forces pédagogiques... Franchement, je ne pouvais tout de même pas lui dire que je mourais parce qu'on avait raté mon « amygdalectomie » (c'est le terme clinique, oui, et mourir c'est « décéder ») et qu'on avait remplacé mon sang perdu par de la mort liquide ! Je ne pouvais quand même pas lui dire qu'il était dangereux de m'offrir à mon âge une maladie du sien, et qu'il risquait de ne plus revoir son père... Je ne pouvais pas m'adresser à mon fils avec le réalisme viril du toubib qui m'avait mis au pied du mur : « Les amygdales à votre âge, monsieur Laforgue, on opère ou on y passe, et quelquefois les deux... » (Texto. Je file l'adresse de cet humaniste à qui refuse de me croire.) Non, je préfère de beaucoup la petite conférence que nous avons tenue, Igor et moi, avant que je ne passe sur le billard.

LUI : Les amygdales, papa ?

MOI : Tu n'as jamais entendu parler des amygdales ?

LUI : ?

MOI : Même en instruction civique ?

LUI : Les amygdales, en instruction civique ?

MOI : Oui. L'Amygdale des Anciens Combattants, tu n'as jamais entendu parler ?

LUI : Ah oui, le 14 Juillet !

MOI : Le 14 Juillet, le 8 Mai, Diên Biên Phu, l'Algérie, tout ça, oui...

LUI : Ils vont t'opérer des anciens combattants, alors ?

MOI . Oui, ils vont m'ôter mes anciens combattants. Tu te rends compte !...

Je sais, je sais, j'ai eu tort, j'ai eu tort, j'ai eu tort contre le bon goût, tort contre le respect, contre la mémoire, contre le drapeau, contre l'Histoire, contre la raison, tort contre son prof d'instruction civique aussi qui a cru qu'Igor se foutait de lui avec cette histoire d'anciens combattants massacrés à l'arme blanche dans la gorge de son père, et j'ai eu tort contre Tatiana (une de nos rares vraies disputes : « Tu veux faire passer ton fils pour un demeuré, ou quoi ? »), mais je m'en foutais, je m'en foutais, je savais qu'avec l'Amygdale des Anciens Combattants je plaçais dans le cœur de mon fils la bombe à retardement d'un bon gros rire qui éclaterait après ma mort, si l'opération foirait. Et, pour tout dire, je ne serais pas fâché qu'il transmette la blague à sa propre descendance : l'Amygdale des Anciens Combattants, super ! Il ne faut pas cracher sur les jeux de mots. Les plus mauvais vont aux meilleurs amis. C'est l'ineffable prix de l'intimité.

...

Non, ce qui me désole, c'est de voir Igor courir vers moi parmi les tombes, maintenant, courir de tous les muscles de son corps sous les rayons de la lune...

Courir vers cette désillusion...

Sauter par-dessus les stèles...

148

Et le fait est...

... qu'arrivé en face de moi...

là,

maintenant,

il s'effondre en hurlant :

– Oh nooooon !

Sur ses deux genoux de colosse.

– Noooon, c'est pas juste !

Avec dans son corps immense un chagrin d'enfant qui ne sait que répéter :

– C'est pas juste, c'est pas juste...

– ...

– C'est pas juste...

Il m'a fallu prendre sur moi pour intervenir :

– Mais enfin, Igor, à quoi t'attendais-tu ?

– Pas à ça ! Pas à ça ! C'est pas juste.

– Igor... Je reconnais que c'est dur à avaler, mais je ne suis pas mort d'hier, tout de même !

– Tu n'es pas mort d'hier, mais tu n'es pas mort comme ça, papa !

– Comme ça ? Comment ça, comme ça ?

Il cesse une seconde de pleurer, il puise ce qu'il lui faut de colère au fond de son chagrin et me montre quelque chose derrière moi, en gueulant :

– Mais regarde ! Regarde, bordel ! Tu as de la merde dans les yeux, ou quoi ?

J'étais assis sur le coin gauche de ma tombe, dans mon pyjama rayé, comme il avait l'habitude de me voir. Je me suis retourné...

Dieu de Dieu...

C'était une tombe d'enfant. La mienne, exactement, mais un modèle atrocement réduit, une tombe minuscule avec des dates enfantines, et, enchâssée dans le granit, au-dessous de mon nom, la photo d'un moi si lointain que j'ai mis quelques secondes à y reconnaître ma petite enfance.

L'inscription, exigée par Tatiana, était la même

Pierre Laforgue
Transfusé
Merci, docteurs
Ministres, merci.

— Tu es mort à trente-huit ans, papa ! Pas à sept !

J'ai pris la grosse tête d'Igor dans mes mains et j'ai répondu, à tout hasard :

— Tu sais, eux, la question de l'âge...

— C'est pas juste...

Comment faire pour endiguer ce désespoir ? J'ai caressé sa tignasse (comme j'avais de petites mains, à sept ans !) et, puisqu'il n'y avait pas d'autre solution, j'ai consenti à donner pour une fois dans le réalisme pédagogique :

— Qu'est-ce que je te disais, Igor, tu vois, il y a bien pire que de perdre un père ! Perdre un enfant, par exemple...

Il a relevé la tête, m'a regardé comme un inconnu, a étouffé tous les mots qui lui venaient, et il a foutu le camp en courant lourdement, comme un ivrogne, pendant qu'assis sur mon petit cul je me traitais de vieux con.

J'ai relevé les fleurs qu'il avait renversées dans sa fuite, et ma pensée est allée vers Tatiana.

– Et toi, mon amour ? Jusqu'à quel âge vas-tu me fleurir ? Laisse faner, ma chérie, passe à autre chose... La suite, bordel !

★

Résultat des courses, Joseph, qui l'attendait au pied du cimetière, a récupéré un Igor en capilotade :

– C'est pas juste, Joseph !

À quoi, Joseph, ses bras refermés autour de son vieux créchon, a trouvé beaucoup mieux à répondre que ma misérable leçon sur la mortalité infantile :

– T'as raison, Igor, c'est pas juste, mais on connaît le responsable.

Une réponse aussi réaliste que la mienne, en somme, mais qui ouvrait sur un certain nombre de perspectives.

Igor a levé ses yeux noyés pour chercher le regard de Joseph, qui l'avait mauvais.

– Tu veux que je te dise, Igor ? C'est Crastaing qui nous y a mis, c'est Crastaing qui va payer ! Arrête de chialer et amène-toi

– Tu as son adresse ?

– Avec tous les devoirs supplémentaires qu'il m'a fait déposer dans sa boîte aux lettres, le salaud...

Écoutez-les, ces deux géants, hurler comme des fous en pédalant sur le tandem de leur premier âge :

– On va se le faire !

Tous les deux en chœur .

– On arrive, Crastaing !

– Crastaing, on arrive !

Oui... Quand il n'y a plus de solution, reste la vengeance. Vieille histoire qui aggrave l'Histoire et qui, au jour d'aujourd'hui, devrait troubler plus d'un sommeil.

★

Ce fut Samantha qui les repéra la première :

– Hé ! Josie, tu vois ce que je vois ?

Deux grands types sur un petit tandem. Ils venaient de prendre l'Allée des femmes en tressautant sur les pavés comme une quincaillerie à pédales.

– D'où ils sortent ces deux-là ?

Les deux types accélérèrent.

– Jésus Marie Joseph ! s'exclama Agnès.

Les chevilles du premier sortaient de son pantalon, les coutures du deuxième craquaient sous l'effort.

– Angela, mate un peu les garins !

Deux vieux communiants, on aurait dit... Leurs oreilles rougissaient au feu croisé des rigolades. Ils pédalaient en regardant droit devant eux.

Celui de derrière disait à celui de devant :

– C'est ton idée, c'est pas la mienne.

Celui de devant répondait :

– Qu'est-ce que j'y peux, s'il habite dans le coin ?

Ils parlaient entre leurs dents.

Oui, un chouette spectacle. L'Allée des femmes ne s'en plaignait pas. Ça faisait une petite distraction pendant l'heure creuse, avant la sortie des théâtres.

– Un biclou à deux têtes !

Josie se mit à les poursuivre. Elle leur tendait son petit flacon de cognac. Ils eurent droit à tous les encouragements.

– Allez, les champions ! Un petit coup pour les jarrets !

– Accélère, disait celui de derrière. Regarde devant toi et accélère !

Ils disparurent sous les bravos.

Ce fut Yolande, ma vieille amie Yolande, qui eut le dernier mot, quand le tandem eut tourné le coin de la rue.

– Toute ma jeunesse, ça... Fausto et Coppi sur la même bécane.

14

– Monsieur Crastaing !

Maintenant, ils frappaient à la porte droite d'un cinquième sans ascenseur. Index recourbé, ils frappaient poliment :

- Monsieur Crastaing !

Pas de réponse. La respiration de l'immeuble...

- Monsieur Crastaing !

La minuterie s'éteignit

– Merde...

Palpitations et tâtonnements... Ah ! Voilà. Lumière.

Du doigt, ils passèrent au poing.

– Crastaing !

Silence.

Du poing, au bombardement.

– Crastaing, putain !

Non. L'appartement sonnait creux.

Une voix monta jusqu'à eux dans le silence retombé.

– Vos gueules, bordel ! On bosse, demain !

À quoi Igor répondit assez logiquement, en beuglant dans la cage d'escalier :

– Si tu bosses, tu dors, connard !

Et la poignée tourna dans la main de Joseph...

C'était ouvert...

Petit moment de stupeur obligatoire.

– Igor, c'est ouvert !

De l'extérieur, ils passèrent à l'intérieur. Dès le premier coup d'œil, ils sentirent que l'intérieur n'avait jamais ouvert sur rien. Une table, une chaise, une ampoule — quarante watts —, pas de rideaux, pas de tapis, une odeur pourtant.

– Bonjour l'ambiance...

(Un décor surprenant pour ces deux poulets élevés au grain familial mais qui ressemblait beaucoup à mon propre appartement avant l'arrivée de Tatiana, en fait. La turne du célibat, son parfum de rance et sa vue imprenable sur le mur d'en face. Je n'attendais personne quand Tatiana avait frappé à ma porte. Elle m'a surpris comme un insecte dans sa boîte à gratter.)

Personne, donc. Igor et Joseph chuchotaient, néanmoins.

– Il s'est barré ?

– Non. C'est habité. Regarde.

Igor désignait la porte entrebâillée d'une cuisine, petite.

Là aussi, tout à l'unité : une table, une chaise, une seule assiette, un couteau, une fourchette, une boîte ouverte, un reste de thon, un seul verre.

– À ton avis, demanda Igor, combien de places dans son plumard ?

Ils pouffèrent comme deux imbéciles de leur âge.

– On va bien voir

Il n'y avait plus qu'une porte à ouvrir.

La porte ouverte, ils ne virent rien du tout et cessèrent de pouffer. L'éblouissement de la torche électrique qu'on braquait sur leurs yeux les congela. Derrière le rideau de lumière, une voix glaciale demanda :

– Oui ?

– ...

– ...

– On cambriole ?

Pour ne laisser aucun doute, la torche s'éteignit et la chambre s'alluma.

Un grand flic apparut dans un uniforme aux angles droits. La main sur la crosse de son arme, sans toutefois dégainer, il réitéra :

– Qu'est-ce qu'on est venu piquer ?

Igor ou Joseph balbutia... ou balbutièrent...

– Rien, m'sieur, c'est chez notre prof, ici, on est venu...

– On est venu border son vieux prof ?

Le flic ne lâchait pas la crosse de son arme. Son regard prenait des mensurations.

– Vous êtes en quelle classe, mes grands ?

JOSEPH : 5e 2 !

IGOR : ... des anciens...

Le flic ricana doucement :

– Très anciens, alors...

Le flic laissa mitonner quelques secondes encore.

– Vous voulez que je vous dise, les anciens ?

JOSEPH : ...

IGOR : ...

– L'imagination, ce n'est pas le mensonge.

156

La formule mit un certain temps à faire son travail de mot de passe dans leurs cervelles gelées. Finalement, Igor et Joseph tentèrent le coup, mais très prudemment, et chacun à son tour :

– Nourdine ?

– Kader ?

– C'est toi ?

– Nourdine, c'est toi, mon salaud ?

– C'est ça ? C'est toi ?

– Allez, quoi...

– C'est... toi ?

– Non ?

À quoi le grand flic répondit qu'évidemment c'était lui, Nourdine, bien sûr, Nourdine Kader, oui, qui voulaient-ils que ce fût ? qu'il l'avait faite lui aussi, cette putain de rédac, que Crastaing avait raison, « la solidarité entraîne des conséquences », mais qu'il allait les payer au prix fort, lesdites conséquences, la putain de sa race, que lui Nourdine avait décidé de se le faire, le Crastaing, et qu'il n'était pas surpris que les deux autres en fussent arrivés à la même décision, que quand un cauchemar n'est pas un rêve il faut faire payer le réel au prix fort ! mais que voilà, Crastaing n'était pas là, qu'il ne restait de lui qu'une miette de thon au fond d'une assiette rayée et une odeur de pied dans une chambre vide.

Igor et Joseph virent alors la chambre pour la première fois. Quatre murs couverts de dessins d'enfant. Très différente du reste de l'appartement. Un déjeuner de couleurs. Très gai, vraiment. Très joyeux. Et très surprenant, dans le contexte. Trente années d'enseignement radieux et la gratitude des élèves sur les murs.

– Regardez de plus près, conseilla Nourdine.

Une collection d'appels au meurtre, en fait. Un hurlement de haine enfantine qui rebondissait d'un dessin à l'autre. De la scène d'anthropophagie primitive jusqu'à la sodomie aggravée, en passant par toutes les conjugaisons du supplice : lapidation, pal, écartèlement, flagellation, bûcher, décollation, écorchement, pendaison, chaise électrique, peloton d'exécution, trente années de délire pédagogicide, un condensé d'enfance à l'état brut, les mille et un martyres du professeur Crastaing. Délicieuse chambrette. Haute en couleur, oui...

Joseph demanda enfin :

– Et il dort là-dedans ?

– Il en a même punaisé un au plafond. Juste au-dessus de son lit.

Igor et Joseph suivirent le doigt de Nourdine pour découvrir, à la verticale du lit, le chef-d'œuvre de la collection : une foule en armes — haches, faux, arcs, masses d'arme, sabres, fusils, baïonnettes, mitrailleuse lourde, canon, même ! — poursuivait un Crastaing passablement pressé, sous une banderole qui réclamait sa peau.

Pendant qu'Igor, grimpé sur le lit, récupérait le chef-d'œuvre confisqué, un gémissement révéla un enfant endormi dans un burnous et une djellaba qu'Igor avait d'abord pris pour une couverture roulée en boule.

– Mon père, fit Nourdine avec sobriété.

– Qu'est-ce qu'il fout là ? chuchota Igor.

– C'est à cause de ma sœur. Elle voulait pas qu'il devienne ce qu'il était, alors j'ai préféré le prendre avec moi.

Et Nourdine Kader eut un sourire que les deux autres ne lui avaient jamais vu mais qu'ils connaissaient bien : mélange de tendresse, d'espoir, de fierté et de reconnaissance, le sourire de la paternité épanouie.

– Il est doué, vous savez !

Comme tous les pères dans cet état, Nourdine ouvrit un carton à dessins et colla sous le nez d'Igor et de Joseph un visage de femme au sourire mi-figue mi-raisin.

– Hein ? Qu'est-ce que vous en pensez ? C'est lui qui l'a fait. Tout seul. Pastel ! Il est bon, non ?

– Je la connais cette fille, hasarda Joseph, il l'a copiée dans un livre ? C'est...

– C'est la *Joconde,* confirma Nourdine. On s'est tapé le Louvre, aujourd'hui. Mais il a pas fait que ça... il a travaillé sur nature, aussi. Attendez...

Le plus doucement possible, Igor retint la main de Nourdine :

– Plus tard, la critique d'art. Moi, c'est Crastaing qu'il me faut. Où il est ?

– Si je le savais, j'y serais aussi. Il est pas là en tout cas. Je planque depuis ce soir. Je l'attendais dans sa chambre pour être sûr de le choper.

– Il va peut-être arriver...

Non, le doute pesait trop lourd au fond de cette hypothèse.

– Il est pas plus con que nous, il doit penser qu'on le cherche, il s'est dit qu'on viendrait ici, alors il s'est cassé.

– Tout ce que je sais..., commença Nourdine.

Mais il mit un doigt sur ses lèvres, montra Ismaël du coin de l'œil, et s'offrit toutes les mimiques du père qui s'interdit certaines conversations devant un enfant, même endormi. Igor et Joseph le suivirent en échangeant un coup d'œil inquiet.

– Tout ce que je sais, reprit Nourdine, la porte de la chambre dûment refermée et la voix plus que basse, tout ce que je sais, c'est qu'il va aux putes.

– Oh ?

Fit Joseph.

– Ben oui, expliqua Igor, il est célibataire, il se fait une pute de temps en temps. Il a au moins quelque chose de normal, ce mec.

(Compte tenu de mon vieil attachement pour Yolande, je ne discuterai pas cette conception de la normalité, mais le débat reste ouvert, bien entendu...)

– Non, non, il nique pas une pute de temps en temps, insista Nourdine, il les connaît toutes ! Toutes celles de la rue à côté, là. Même qu'elles balisent quand elles le voient. Elles l'appellent par son prénom. C'est « Albert », son prénom. « Albert », elles disent. Et elles baissent les yeux quand il passe !

– Crastaing en mac, maintenant. Arrête, Nourdine...

– Ma parole !

– Comment tu sais ça, toi, d'abord ? demanda Joseph.

Il y eut un liseré rouge, comme un soupçon d'aurore, aux oreilles de Nourdine.

160

– Je l'ai suivi hier... après les cours...

– Tu l'as suivi ? Pourquoi ?

Embrasement complet des oreilles, cette fois.

– Je voulais le tuer.

Aussi tranquillement que ça. Nourdine Kader vient d'avouer, là, à ses deux camarades de collège, qu'il a eu l'intention, hier, d'assassiner son prof de français. Ni plus ni moins. Quand on entend ce genre de choses, et sans avoir l'esprit soupçonneux, on peut, en toute camaraderie, nourrir quelque soupçon.

– Dis donc, Nourdine, demanda doucement Igor, entre nous, là, on le répétera pas... tu l'aurais pas vraiment buté, le Crastaing ?

– Tu es fou !

Franchise absolue. Sincérité scandalisée, même.

– C'était hier ! C'était une idée de môme !

Pas de doute, pensa Igor, on est jusqu'au cou dans cette rédac de merde : Nourdine est devenu adulte pour de bon et il pense sans rire, comme un vrai con d'adulte, que flinguer un prof est une tentation courante chez les élèves d'aujourd'hui.

De son côté, Joseph travaillait sur une autre hypothèse. Il prit le col de Nourdine entre le pouce et l'index, comme pour estimer la qualité du tissu, et murmura :

– Non, parce que avec cet uniforme... on ne sait jamais... ça peut influencer.

– À propos, demanda Igor, qu'est-ce que c'est que cette tenue ?

– Je vous expliquerai.

15

Une demi-heure plus tard, l'Allée des femmes revit les deux dingues au tandem. Ils étaient accompagnés d'un grand flic beur qui portait un enfant endormi, une boîte de peinture et un carton à dessins. Cette fois-ci, les deux dingues tenaient le tandem à la main et fouinaient des yeux.

Les filles regarderent ailleurs.

– C'est elle, fit Nourdine de loin en désignant Agnès.

« Jésus Marie Joseph, rev'là les ringards, se dit Agnès. C'est pas vrai, c'est moi qu'ils matent ? » Et de faire celle qui ne remarque pas qu'on la remarque. Une absence de regard à rendre transparent un équipage en bordée... Les filles appelaient ça le « regard Yolande ».

(« C'est capital, ce regard-là, dans le métier, mon petit Pierrot, m'avait expliqué Yolande, c'est moi qui le leur ai appris, aux petites, ça fait fondre le micheton, il disparaît, il existe plus. Il aurait un miroir, il se verrait pas dedans ! Et c'est bien rare s'il ose te causer, quand tu fais ces yeux-là, ces yeux "d'ailleurs", tu vois ? Tout un art ! Y a que nous autres pour savoir regarder comme ça, avec les loufiats en terrasse, peut-être, et les présidents de la République, une fois qu'ils sont élus. »

Agnès... Le cœur de Nourdine battit nettement plus fort. Pour la deuxième fois, Agnès lui parut l'incarnation de la pudeur. Adorable. Plus sacrée sur son trottoir que la petite sirène d'Andersen sur son rocher de Copenhague. À cette évocation, la voix de Rachida reprit sa lecture dans la mémoire de Nourdine : ... *la plus jeune était la plus belle, sa peau avait l'éclat limpide d'un pétale de rose...*

— Bon, alors ? demanda Igor.
— Alors quoi ? demanda Nourdine
— On y va ? demanda Joseph.
— Allez-y, fit Nourdine.
— Comment ça, allez-y ? fit Joseph.
— Tu viens avec nous, fit Igor.

Faut quelqu'un pour garder le vélo, objecta Nourdine qui se battait contre Rachida et Andersen assis à son chevet . ... *elle n'avait pas de plus grande joie que d'entendre parler du monde des hommes...*

« Merde, pensa Agnès. Ils osent pas trop, mais ils vont oser. Faudra le retravailler, mon regard Yolande. Et les autres qui se marrent... »

C'était vrai. Les yeux de ses collègues convergeaient en douce. Elles attendaient de voir, elles faisaient déjà la place au rire. Debout au milieu de l'allée, les trois indécis vacillaient. Agnès prit le parti d'abréger leur souffrance et son supplice. Elle s'approcha en chaloupant et Rachida commenta le mouvement dans la tête de Nourdine . *Alors la petite sirène leva ses beaux bras blancs, se*

dressa sur la pointe des pieds et traversa la salle en
ondulant...

« Des copains de pétanque, décida Agnès. Ils
sont venus casser une cagnotte. »

Quelque chose l'émut dans ce triple embarras.

« On part flamberge au vent et on arrive la
queue entre les jambes, comme souvent. »

Elle choisit de ne pas les effrayer davantage.
Elle prit sa voix la plus douce :

– Je vous fais un prix de groupe, mes chéris ?

Et, à Nourdine, dont le regard lui parut le plus
flottant :

– Pour toi ce sera une amitié parce que d'habitude je donne pas dans le poulet.

... la plus délicieuse voix de ceux qui sont ici au
fond de la mer..., commenta Rachida.

L'index d'Agnès glissa sur la joue d'Ismaël endormi :

– Et je fais pas garderie non plus...

... c'était une étrange enfant, tranquille et ré-
fléchie...

Tous les trois s'accrochaient au tandem.

– On veut pas lâcher sa monture ? demanda
Agnès. On a peur qu'elle se taille toute seule ?
Josie va la garder, elle adore les bêtes. Pas vrai,
Josie ?

À trois mètres de là, Josie (celle-là même qui
tout à l'heure avait proposé une lichette de cognac
aux deux dingues) fit savoir que c'était vrai, aucun problème.

Sentant croître l'intérêt général, Igor choisit
d'en finir au plus vite :

– Non, c'est pas pour... on n'est pas venus pour...

Nourdine et Joseph ne l'aidaient pas.

– Collègues et puceaux, alors ? demanda Agnès gentiment. On pense qu'à jouer aux boules entre les heures de bureau et on laisse passer les bons coups, c'est ça ?

– Non ! intervint Joseph. On vient de la part de...

– Ouiiiii ? traîna Agnès, dont le parfum semblait monter des profondeurs maritimes. On vient de là part de qui ? Qui c'est qui vous envoie, mes bijoux ?

Elle était si proche d'eux, à présent, qu'ils se sentaient fondre dans sa chaleur.

– M. Crastaing ! lâcha Igor dans un claquement de dents.

Si proche, vraiment, qu'ils respiraient son souffle.

– M. Crastaing ?

Visiblement, la petite sirène ne connaissait pas de M. Crastaing. Elle le leur fit savoir par un écarquillement de ses yeux *bleus comme le lac le plus profond,* et tous trois y plongèrent sans retenue.

– Albert ! corrigea Nourdine comme s'il émergeait soudain et reprenait son souffle. On vient de la part d'Albert !

Ici, quelque chose s'immobilisa. La sirène bondit en arrière. Son visage perdit toute couleur. Ses yeux de lac virèrent à l'encre. Et, pour une princesse murmurante, elle révéla une capacité thoracique à remplir l'Allée des femmes tout entière. Elle ne fut plus qu'un long hurlement :

– Ah non, ça va pas recommencer ! Trois heures, qu'il m'a tenue, hier ! Trois heures ! C'est pas suffisant ? Pourquoi il vous envoie ? Et avec de la poulaille, encore ! On vous arrose pas assez, les flics ? Vous voulez du rab ? Ou c'est quoi ? Je suis pas en règle ? Qu'est-ce que j'ai fait ? J'ai pas bien répondu, hier ? Il en sait pas assez, Albert ? Il m'a pas assez cuisinée ? Vous voulez quoi, à la fin ? Que je quitte le quartier ? C'est ça ? Pourquoi moi ? Pourquoi ?

Elle hurlait en reculant. Eux n'avançaient pas, bien sûr, mais elle reculait toujours, et plus elle reculait plus sa voix prenait le quartier à témoin. Des lumières s'allumèrent. Des volets s'ouvrirent en claquant. Évidemment, l'Allée des femmes se mobilisa. Les femmes se refermèrent sur Agnès et Josie fut la première à s'avancer :

– Qu'est-ce que c'est ? Qu'est-ce que vous lui voulez, à la petite ?

Samantha vint à la rescousse. Elle montrait Ismaël endormi.

– Et depuis quand on amène les mouflets aux putes ?

(Oui, à propos...)

– Si c'est pas une pitié de voir ça !

Le front des femmes au grand complet avançait sur eux, à présent. Elles tenaient toute la largeur de l'allée.

– Discute pas avec ça, Josie !

– Faut les virer, c'est tout !

– Allez, allez, on tire la chasse !

166

L'une d'elles brandissait un talon aiguille affûté pour la guerre civile.

– On cherche la femme, on trouve le fauve !

Elles vociféraient sous leur nez, maintenant. Plus fort que la terreur qui les paralysait, ils sentirent monter en eux une irrépressible envie de pleurer. Ils allaient éclater en sanglots quand une voix d'un calme résolu apaisa le tumulte.

– Qu'est-ce que c'est, ce bordel ? On peut savoir ?

Le front des femmes s'ouvrit. Yolande apparut.

★

– Alors c'était votre prof quand vous étiez petits, Albert ?

Yolande hochait la tête en remplissant leurs trois verres de guignolet kirsch.

– Mes pauvres chéris, vous avez pas dû rigoler tous les jours...

Les « pauvres chéris » étaient assis au bord du lit, sur le bout de leurs fesses, un petit verre tremblant dans leurs grandes mains, intimidés par le décor, le temple moiré de Yolande, les mille merveilles aux mille miroirs... Diane au bain et Cupidon fessu... voiles ondoyants comme des algues, *murs de corail et fenêtre d'ambre...* quelque chose comme le palais du roi des mers... *dans chaque coquillage, des perles scintillantes...* mais Nourdine n'était plus d'humeur, il fit taire la voix de Rachida.

Leurs trois cœurs battaient encore un peu et ils ne savaient pas trop sur quoi poser les yeux.

– On se calme, ronronnait Yolande, là, là, c'est fini...

C'était fini. Dans la salle de bains voisine, Agnès laissait aller une main dont Ismaël dessinait la triple image renvoyée par les miroirs de la coiffeuse...

– Pas ordinaire, ce petit, glosa Yolande, il commence tôt...

Elle leur sourit franchement, à tous les trois :

– Vous, ce serait plutôt le contraire, on dirait qu'il vous manque un tour... Vous êtes partis après le startinge, ou quoi ?

Comme ils ne répondaient pas, elle leva son verre à leur santé.

– Faudrait venir nous voir plus souvent...

Ils firent oui de la tête. Ils étaient sous sa protection. Elle clappa du bec, reposa sur le guéridon un petit verre ourlé de son rouge à lèvres, et expliqua :

– C'est un peu à ça qu'on sert, nous autres. Resserrer les boulons. Quand le client s'en retourne, faut qu'il se sente bien calé sur ses bases. D'aplomb, quoi.

Elle explicitait :

– Une remise à niveau, en somme.

Elle résumait toute une éthique.

– Sinon, c'est madame qui morfle. Ou Médor. Ou le petit personnel. Ou le premier imprudent au premier feu rouge...

Elle entra enfin dans le sujet :

– Bon, c'est pas tout ça, mais qu'est-ce que vous lui voulez, à Albert ?

– On le cherche ! s'exclama Nourdine, surpris par la question.

– Vous le cherchez pourquoi, après toutes ces années ?

Aucun des trois n'aidait vraiment les deux autres.

– On voudrait..., commença Igor.

– On voudrait..., essaya Joseph.

Yolande débroussailla le terrain des hypothèses.

– On voudrait quoi ? On est devenu papa, on a des enfants sous son autorité, et on voudrait lui faire la peau ? C'est ça qu'on voudrait ? Ou quoi ? Vous voulez lui faire payer vos annees d'école ? Un serment de quand vous étiez petits ? On se fera le Crastaing le jour de nos quarante ans ?

– Non ! s'écria Nourdine.

– On voudrait juste..., recommença Igor.

– On voudrait juste comprendre quelque chose, opina Joseph.

– Encore une petite goutte ? demanda Yolande.

Leurs trois mains couvrirent poliment leurs trois verres.

– Le guignolet, c'est une bonne manière avant de passer aux choses. Je travaille à l'ancienne. Je tiens ça de maman...

Yolande eut un sourire lointain en se resservant. Elle les regarda par-dessus le doré du verre.

– Vous savez que vous n'êtes pas les premiers à venir me trouver, à propos d'Albert ?

– ...

– ...

– ..

Dans le silence qui suivit, j'ai cru qu'elle allait leur parler de moi...

Non, elle se contenta de leur parler comme à moi. C'était à moi qu'elle parlait sous ces trois regards, c'était à moi en eux qu'elle expliquait, pour la énième fois, qu'il n'y avait rien à comprendre chez Crastaing, rien de rien, et que tout le mystère gisait dans ce néant : « C'est ça qui t'a fait courir jusqu'ici et monter jusqu'à mon étage ? Me sauver d'Albert ? Mon pauv' Pierrot ! Avec un couteau dans la poche, en plus ? Donne-moi ça ! C'est *rien*, Albert. » Confisqué, mon Opinel, et avec lui, toute envie de meurtre, à jamais. Ce qui a singulièrement compliqué ma vie. Renoncer à l'assassinat c'est se condamner à comprendre ; il faudrait y regarder à deux fois. Ça fait de votre existence une longue suite de questions, là où un coup de canif bien placé résout le problème en supprimant son énoncé.

— Et si elles avaient des réponses, au moins, les questions..., disait Yolande, mais faut bien admettre que par les temps qui courent, mon p'tit Pierrot, les questions vont toutes nues, elles ont rien à se mettre, on pourrait dire.

Nourdine, Igor et Joseph l'écoutaient rêvasser au-dessus de son verre.

— Notez, c'est pas le mauvais cheval, Albert, quand on le connaît un peu. Seulement voilà, il fait peur aux filles. Un vrai désastre.

Était-ce l'effet du guignolet, les trois eurent tout à coup la sensation vague que Yolande parlait, à travers eux, à quelqu'un d'autre. Igor se retourna. Non, il n'y avait personne, juste Agnès dans l'entrebâillement lumineux de la salle de bains, là-bas, assise devant la coiffeuse, l'œil sur Ismaël, la main gracieusement pendante au dossier de la chaise.

– Et avec ça, pas le genre d'homme à qui on peut dire non, continuait Yolande. Avec ce regard, là, vous vous souvenez ?

L'expression de Crastaing passa comme un oiseau lugubre dans les yeux de Yolande : atroce mixture du désespoir et de l'autorité.

– Albert, continua Yolande, c'est les souvenirs d'enfance qui le branchent. Rien d'autre. Absolument rien d'autre. L'enfance et la famille, point final. Un affamé. Un pas croyable. Il monte rien que pour leur faire cracher leurs souvenirs d'enfance, aux filles. Il les arrache un à un, comme des dents, vous voyez ? Et sans anesthésie, je vous prie de croire. Alors, les filles, tu parles (elle désigna Agnès du coin de l'œil)... Voyez le genre de panique. D'autant plus que...

Petite gorgée.

– D'autant plus que nous autres, qu'est-ce que vous voulez qu'on ait, comme souvenirs ? Les seuls qui nous restent c'est ceux qu'on n'a pas pu oublier, forcément... Les pires.

– Pourquoi il revient ? demanda enfin Igor. Pourquoi il insiste ?

Exactement la question que j'avais posée, trente ans plus tôt, devant une Yolande qui avait l'âge d'Agnès aujourd'hui.

– Pourquoi, pourquoi, mon p'tit Pierrot... Ça travaille dans sa tête. Il dit qu'on oublie toujours quelque chose, ou il prétend qu'on invente. Il dit qu'on s'applique jamais assez à se souvenir, qu'on confond mémoire et imagination. Il dit que l'imagination c'est pas le...

– L'imagination c'est pas le mensonge ! hurla Nourdine.

– Ah ! fit Yolande, tu te souviens...

Vu leur état, Igor, Nourdine et Joseph se retinrent à temps de poser la question qui, maintenant, leur brûlait les lèvres : « Et pourquoi fait-il si peur à nos pères ? »

Mais celle-là aussi je l'avais posée longtemps avant eux.

– Il a fait à vos enfants le coup de la « petite conversation avec monsieur votre père », hein ? demanda Yolande, mine de rien. Et vous êtes sortis de là sans un poil de sec, comme tous les autres papas...

Oui, firent les trois têtes, oui, oui, oui...

...

– Forcément, mon p'tit Pierrot, morts de peur et de honte, les papas, devant Albert. Comment je pourrais t'expliquer ça ? Attends voir... Imagine un peu... Voilà, imagine une addition ; le papa + femme + enfants + foyer + plus souvenirs d'enfance = le toutim du bonheur syndical. Imagine cette addition convoquée par une soustraction ; Albert : ni femme, ni famille, ni foyer, ni souvenirs d'enfance, rien. Mais rien de rien. Rien que c'en est un vertige. Et voilà le papa penché au-dessus de ce grand trou, lui qui est venu pour gueuler, pour défendre sa descendance, cueilli à froid par tout le malheur humain, affreusement honteux tout à coup, et qui n'ose pas se barrer parce que le malheur on peut éteindre le poste quand il est loin, mais là, devant tes yeux, au moment où tu t'y attends le moins, ça t'oblige, forcément. Et le papa se découvre atrocement peu consolateur, tellement nul qu'il meurt de honte, là, entre quatre z'yeux ! Or, Albert — c'est pas une critique que je lui fais —, la honte ça le stimule, il la sent comme un chat la souris, et sa seule consolation, au fond de son puits, c'est de jouer avec la honte des autres. Comme il me dit toujours : « Ils ne méritent pas leurs familles, Yolande, aucune conscience de leur bonheur ! Ils ont tout pour être heureux et ils passent leur vie à geindre ! Les enfants comme les parents ! Ils croient me remonter le moral en pleurnichant sur leur sort... Un gâchis ! Un monstrueux gâchis ! » Et de tourmenter le papa à un tel point que l'autre rentre à la maison avec au cœur une fureur de milliardaire honteux, tu vois ? La crotte au cul de son bonheur, en quelque sorte. Il arrive chez lui avec la haine des gosses, de la femme, du foyer impeccable, des albums de famille, la détestation du bienêtre... à deux doigts de tout envoyer balader, au bord de s'abominer lui-même. Ça dure pas très longtemps, note, quelques nuits, quelques cauchemars, et puis ça passe ; l'homme redevient l'homme, quoi qu'on lui fasse, il cicatrise. Mais, tout de même, tu imagines sa tête quand Albert le convoque pour la deuxième fois !... « Une petite conversation avec monsieur votre père... »

16

Et le rouquin ? Éric, le flic, le petit flic... enfin, le flic transformé en petit, le flic de la rédac, celui du commissariat de Belleville... Quid du petit rouquin pendant toute cette journée ?

Comme tous les enfants de son âge, Éric, après avoir promis au grand flic beur tout ce qu'il voulait, était retombé dans ses habitudes, lesquelles consistaient à laisser passer la journée dans l'attente de la nuit. Métro le matin (dans le métro, avec l'œil franc et ton sac à dos, pas de problème, tout le monde croit que tu vas à l'école...), cinéma l'après-midi : tu te glisses dans les cinoches par la porte de la sortie, tu choisis une salle aux fauteuils profonds et aux images légères, tu ramasses un ticket par terre en faisant gaffe qu'il soit du jour, tu laisses passer les séances, tu dors ce qu'il faut, tu te casses un quart d'heure après le début de la dernière projection, et voilà, la nuit est à toi. Pourvu que tu aies pensé à t'outiller au passage (sous-sol du BHV, un vrai voleur doit savoir où voler ses outils), la nuit sera belle.

Elle était prometteuse, en effet, la nuit d'Éric. Un vrai filon que lui avait fourgué le grand flic beur en lui donnant son adresse ! Une cuisine équipée moderne, avec des beaux plats arabes en plus, des cafetières turques et des verres en or pour le thé à la menthe. Exactement ce qui se revend le mieux à l'entrée des puces de Montreuil. Non, cambrioler le grand flic ne posait aucun problème à Éric, pourquoi ? Il avait dit au flic qu'il était cambrioleur, non ? Il lui avait dit la vérité ! Un cambrioleur ça cambriole, on peut pas lui en vouloir, surtout si on est flic, surtout si on est prévenu (pas prévenu-prisonnier, attention, prévenu-averti !). Ou alors, si on est flic et qu'on donne son adresse à un cambrioleur en pensant qu'il va pas vous cambrioler justement parce que vous êtes flic, alors là il faut changer de métier. Surtout quand on a la cuisine qu'on a et que le cambrioleur en question vous a bien précisé que sa spécialité à lui, justement, c'étaient les cuisines ! Éric comptait lui expliquer ça au grand flic, s'il débarquait pendant qu'il lui tirait sa batterie de cuisine. Bien sûr qu'on peut discuter de trucs comme ça avec un flic ! Ce sont des choses qu'ils peuvent comprendre. C'est même leur boulot d'entendre ça ! Et puis, il y a des moments où il faut être honnête dans la vie, et rendre service si c'est possible, parce qu'il avait été plutôt sympa le grand flic beur, ce matin, fallait admettre, en donnant son adresse et le nom de sa sœur. Changez de métier, m'sieur l'agent, franchement, vous êtes pas fait pour être flic, ce que j'en dis, c'est pour vous, parce que moi, si j'étais flic, une supposition, un cambrioleur, il pourrait toujours courir pour que je lui file mon adresse, surtout un cambrioleur de cuisine, si j'avais une cuisine aussi chouette ! Le grand flic l'emmènerait au poste ? Et alors ? Ce serait pas la première fois. Éric, c'est drôle à dire quand il y pense mais il aime bien passer la nuit au poste. Sans rire. C'est du cinéma en direct, comme les films où on fait des rafles et où tout le monde déboule dans le commissariat au milieu de la nuit, un de ces bordels, c'est super. Même si tu aimes pas les flics, il faut reconnaître que la nuit au commissariat, c'est quand même une atmosphère...

Faut que j'arrête de penser à autre chose, se dit-il tout à coup.

Faut que je me concentre...

C'est toujours parce que je pense à autre chose que je me fais choper.

Faut penser à ce qu'on fait, c'est tout.

Allez, on respire un bon coup.

Ce qu'il fit, parmi les trois sacs-poubelle déjà pleins qui l'attendaient dans la pénombre.

Et ce fut là qu'il l'entendit.

La fille qui pleurait.

Une fille qui pleure ? Éric éteignit la lampe de poche du BHV. Oui, une fille qui pleure. Pas des grands pleurs, pas des grands cris, des petits sanglots réguliers, un chagrin qui ne s'arrêtait pas, une fille qui marmonnait quelque chose en pleurant, toujours la même chose, comme quelqu'un qui se réciterait une poésie triste pour s'endormir et qui ne s'endormirait pas, et que ça rendrait encore plus triste. Ça venait d'en haut. Au-dessus de la cuisine. Faut que j'aille voir. Il y alla. Les marches de l'escalier ne grinçaient pas. C'était la première porte sur le palier, à gauche. Il l'ouvrit doucement. Il y avait un lit et quelqu'un dans le lit, roulé comme un chien du côté du mur. Quelqu'un qui pleurait. Une fille, oui.

Qui disait :

– Je suis une conne.

Elle n'avait pas fermé les volets et c'était très joli ce lit sous la lumière en biais, avec tout le reste de la chambre dans la nuit. Comme au ciné, là aussi. La fille avait de grands cheveux noirs et brillants qui se tordaient de désespoir sur une chemise de nuit très blanche. Mais elle se trouvait conne.

– Putain que je suis conne !

Elle frappait le mur à coups de poing.

– Conne ! Conne ! Conne !

Une prisonnière qui aurait boxé ce mur toute sa vie et qui donnerait les derniers coups d'un chagrin à bout de forces. Juste par curiosité, mais peut-être aussi parce qu'il n'aimait pas l'idée d'une si jolie fille frappant le mur d'une prison, Éric demanda :

– Pourquoi tu pleures ?

Il aurait crié au feu qu'elle n'aurait pas sauté plus haut.

Rencognée au bout de son matelas dans l'angle du mur, les couvertures tirées sur elle, elle voulait lui demander qui il était et ce qu'il fichait là, mais ça ne sortait pas. Elle était encore plus belle avec toute la lumière de la rue dans ses yeux qui ne pouvaient pas.

Éric décida de la calmer :

– Faut pas avoir peur, je suis juste venu cambrioler. Mais je t'ai entendue pleurer, alors je suis monté.

– Cambrioler ?

Elle se détendit tout à coup.

– Cambrioler !

Ses larmes se transformèrent en un rire pas vraiment joyeux, pas méchant non plus, un rire grinçant qui devait lui faire plus de mal que son chagrin.

– Excellente idée, mon bonhomme, pique tout, ne laisse rien, emporte la maison avec toi, je pourrai enfin passer à autre chose !

Éric (qui n'aimait pas beaucoup qu'on l'appelle mon bonhomme) se demanda ce que c'était, cette famille qui tenait absolument à se faire cambrioler. Tous givrés, ou quoi ? « Mais oui, monsieur, mais comment donc, tenez, voilà notre adresse, cambriolez, prenez tout, surtout n'oubliez rien, on a une cuisine super... »

Il préféra changer de conversation :

– Pourquoi tu dis que tu es conne ?

Il n'aurait pas dû. Les vannes se rouvrirent. La belle fille se remit à pleurer toutes les larmes de son corps :

– Parce que je suis la *reine* des connes ! Tellement conne que ma mère est partie avec le gars de la poste, que mon frère a foutu le camp, que mon père est allé se faire flic, et que je me retrouve toute seule dans cette baraque de merde ! Flic, tu te rends compte ? Mon père, flic ! Si tu voyais comme il peint !

Éric aurait bien aimé comprendre quel rapport il pouvait y avoir entre la bêtise supposée d'une

178

fille, la vocation policière d'un père, et les dons du même pour la peinture, mais il y avait plus urgent. Quelque chose clochait. « Le grand flic beur m'a pas dit que c'était sa fille, ce matin, il m'a dit que c'était sa sœur.. »

– Comment tu t'appelles ?

– Hélène.

Hélène... Hélène... Éric fronçait les sourcils. Je me serais gouré d'adresse, ou quoi ?

– Il m'a pas dit que tu t'appelais Hélène, le flic qui m'a donné ton adresse, il m'a dit Rachida !

Contre toute attente, cette petite phrase eut des conséquences encore plus désastreuses que toutes les autres.

– C'est pour ça que je suis une conne ! hurla Rachida.

Elle avait infiniment plus de chagrin en réserve qu'Éric ne l'avait supposé. Plusieurs corps pleins de larmes. Elle allait pleurer jusqu'au matin maintenant, c'était sûr, Éric ne voyait pas comment endiguer l'inondation. D'un autre côté, il ne pouvait pas retourner au boulot en la laissant dans un état pareil. Alors, il entra dans la lumière, s'assit au bord du lit, prit Rachida dans ses bras, attendit un bref silence entre deux sanglots, écarta ses cheveux mouillés et murmura à tout hasard :

– Tu veux que je te dise, Rachida ? T'es pas une conne, t'es tout le contraire même.

Puis, en guise de somnifère :

– T'inquiète pas, on va les retrouver, ton père et ton frère.

– Tu crois qu'elle nous appellera, ta pute en chef ? demanda Joseph.

Ils étaient maintenant quatre sur le tandem, à ferrailler dans la nuit, Ismaël assis sur le guidon, la tête posée contre la poitrine de Joseph, et Nourdine sur le porte-bagages, boîte de pastels et carton à dessins au-dessus du cataphote qui battait de l'aile.

– Ma pute en chef s'appelle Yolande, répondit Igor, et si elle voit Crastaing, elle nous téléphonera, elle l'a promis.

Joseph se le tint pour dit. Yolande n'était pas la « pute en chef », Yolande était Yolande, une femme de parole, Igor en avait la certitude, et si elle-même ou une des filles repérait Crastaing, ils seraient les premiers prévenus.

Ils glissèrent un certain temps dans les grincements de la bécane et le chuintement des pneus, puis Joseph revint à la charge :

– Elle est quand même gonflée de nous avoir fait payer !

– Pourquoi ?

Igor attendait une réponse qui ne vint pas.

– Pourquoi ?

Joseph sentait qu'il valait mieux ne pas répondre. Mais Igor insistait :

– Tu bosserais gratis, toi ?

– ...

– Joseph ! Tu bosserais gratis ?

– ...

(Yolande avait toujours été stricte sur la question des honoraires. Un sujet qu'elle abordait avec moi sans fioritures. « Depuis tout ce temps, t'es devenu mon meilleur client, p'tit Pierrot, régulier comme une horloge et qui grimpe jamais la concurrence. Un petit mari payeur, on pourrait dire. Si c'était pas les principes, je te le ferais pro Deo — il en aurait bien besoin, Deo, entre parenthèses —, mais comme je te l'ai déjà expliqué, on peut pas donner, nous autres. Gratis, ça aurait pas le même goût pour le micheton. C'est pour le coup qu'il nous prendrait pour des putes ! Dans le métier, le blé, c'est la part du cœur. Un peu comme chez les toubibs qui s'occupent de la tête, tu vois ? Faut raquer pour guérir, vieille histoire. Combien j'en ai guéri, moi ! Tellement contents qu'ils me filent le double, le triple, voire ! Quand je te dis que c'est la part du cœur... »

Toutes mes économies d'adolescent lui étaient allées droit au cœur, mon petit argent de poche, mes maigres étrennes, mes boulots de l'été, et mes premiers salaires, aussi. Mon cœur à moi payait l'impôt sans rechigner. Yolande me rendait la monnaie en conseils sages. « Une bonne occasionnelle, c'est toujours moins onéreux qu'une mauvaise régulière. C'est comme les autos, mon p'tit Pierrot, le plus souvent, on gagne à louer. » Non qu'elle fût hostile au mariage ; passé mes vingt-cinq ans, elle m'orienta même dans cette direction. « Enfin quoi, Pierrot, tu vas pas faire toute ta vie dans le professionnel, tout de même ! Il y a un moment où il faut laisser tomber la location et prendre des parts dans l'existence, du solide ! C'est pas que je me lasse, note, mais ta technique est assez rodée pour songer au cœur, maintenant ! » Elle y allait d'un de ses compliments — rares et d'autant plus précieux. « Ça, côté technique, y a rien à redire, la fille qui te tombera va s'offrir des sommets, garanti sur facture ! Je signe le diplôme ! Moi-même, des fois... » Elle faisait mine de se reprendre : « Je devrais pas te dire ça, faut jamais applaudir le chaland, sauf pour rire. Un client flatté, ça prend vite des allures d'homme... Et de l'homme au mac, y a juste la rue à traverser. » Mais avec moi, le « p'tit Pierrot », ce n'était pas pareil : « Enfin, toi c'est pas pareil, je peux bien te complimenter puisque je t'ai tout appris. C'est moi que je flatte quand je dis que l'élève a dépassé la maîtresse... » De fil en aiguille, j'ai fini par lui poser la question, évidemment, moi aussi : « Et toi, Yolande, tu n'as jamais songé à te marier ? » Elle m'a rembarré d'un coup sec. « De quoi je me mêle ? Faudrait voir à pas renverser les rôles, Pierrot ! C'est un manque de respect flagrant. » Il avait fallu que je présente des excuses pour qu'elle daigne ébaucher une réponse : « Tout ce que je peux te dire, c'est que quand je serai fatiguée d'usiner, je me collerais bien avec un seul. Un peu esquinté, peut-être, mais un seul. » Elle a ajouté : « Albert, par exemple. — Albert ? Crastaing ? Tu rigoles ? — Du tout ! Y a du bonheur à planter, dans cet homme-là !... Pour l'instant, je trouve pas le fond, mais j'y travaille ! J'y travaille ! » J'ai cherché à savoir comment elle travaillait à combler le vide de Crastaing... « En l'écoutant, mon p'tit Pierrot. Deux fois la semaine. À qui veux-tu qu'il parle ? À toi ?

À ses élèves ? Vous l'écoutez pas, vous autres. Pire, vous entendez même pas qu'il vous cause ! Vous êtes pas là pour ça. Vous êtes là juste pour dessiner. Hein ? Les gentils dessins que vous lui faites, à Albert...)

...

C'était presque le matin. Ils enchaînaient le tandem au pied de la maison Pritsky, avenue Simon-Bolivar. Ils se taisaient depuis un moment quand Igor fit remarquer :

— Vous savez quoi ? C'est ma première nuit blanche.

— Tu es crevé ? demanda Joseph.

— Pas trop. Et vous ?

— Ça va, répondit Joseph en étouffant un bâillement.

— Alors, c'est qu'on est des vieillards, conclut Nourdine. Plus besoin de sommeil. Comme mon grand-père deux jours avant sa mort. Une forme terrible !

Le débat sur l'âge et le sommeil promettait, mais un long hurlement suraigu l'interrompit avant son commencement.

— Il va mourir, il va mourir !

Ça venait de là-haut. Et ça ressemblait fort à la voix de Tatiana ·

17

– Il va complètement mourir !

Difficile de savoir si cette perspective épouvantait Tatiana, la scandalisait ou la remplissait de joie. Elle hurlait, debout dans le couloir, les yeux écarquillés, mais elle hurlait comme on prend acte, comme on annonce au monde, comme on enregistre un décret du destin. Impossible de savoir *qui* allait « complètement mourir », pourtant c'était bien la mort que proclamait Tatiana comme une messagère antique, dans cette espèce de hurlement impavide, c'était bien la mort, aucun doute, il fallait en croire son visage, et ce long cri sans modulation.

Finalement, ils se ruèrent dans la chambre et trouvèrent une Moune exorbitée, assise en face d'un Pope blême qui claquait de toutes ses dents et délirait entre les spasmes :

– J'irai pas ! hurlait Pope, j'irai pas ! Il dit... il dit... il parle toujours là où ça fait mal ! Il me fait pleurer dedans ! Je pleure dedans ! Je pleure dedans ! Il dit qu'il y a la mort des parents et que les enfants s'en foutent ! Il dit que la vie c'est la mort et que les parents s'en foutent. J'irai pas ! J'irai pas. C'est un golem ! Je veux pas...

Joseph, qui venait de prendre Pope dans ses bras, le lâcha dans un sursaut.

– Il est bouillant !

Sueurs froides, paupières bistre, lèvres bleues, tempes creuses, veines saillantes...

– Je veux pas qu'i' moure, murmurait Moune sans quitter Pope des yeux.

Nourdine s'empara d'une serviette.

– Faut jamais laisser les enfants seuls. Passez-le-moi, que je le frictionne.

Serviette. Friction.

– Je veux pas qu'i' moure, répéta Moune.

Il ne peut pas mourir, Moune, expliqua Joseph, tu as besoin de lui pour me faire.

– Pour te faire quoi ? demanda Moune.

– Il peut très bien mourir, objecta Igor, même les morts meurent depuis hier !

Joseph croisa les yeux d'Igor et sut, à la seconde, que Pope allait mourir. Le filet bleu des veines sous cette peau transparente, ces petits os palpitants, cette poitrine de poulet, le sifflement de l'air, Joseph sut que lui aussi allait perdre son père, là maintenant, contre toute espèce de logique, comme tout ce qui se passait depuis la veille. Igor avait raison, Pope allait mourir et Joseph en deviendrait fou. Personne ne croit les fous et Joseph ne se consolerait jamais de cette mort qu'il ne pourrait raconter à personne.

– Joseph !

Nourdine frictionnait Pope.

– Oh ! Joseph !

Nourdine gifla Joseph d'un revers de serviette.

– Où est l'armoire à pharmacie ?

Joseph se réveilla sous la brûlure du tissu.

— Dans la salle de bains, là.

— Qu'est-ce que vous attendez pour lui trouver un truc contre la fièvre ?

Deux secondes plus tard, Igor et Joseph se battaient contre la pharmacopée.

— Grélestaline vitaminée... qu'est-ce que c'est que ça, bordel ?

Ils prenaient les boîtes, lisaient, jetaient pardessus leur épaule.

— Plobiron, ampoules buvables, extrait de foie et d'antre pylorique.

— Antre pylorique ?

— Plastibène anticoagulant, Ghigopine à croquer, putain c'est dingue, tu crois qu'ils mettraient des étiquettes : « pour le ventre », « pour la tête », « pour le cul » ? Tu penses, ça serait trop simple...

— Trinidroergotamine, ce produit est un médicament... merci ! Salixophorine, ne pas laisser à la portée des enfants, au poil ! Putain, un petit truc pour faire tomber la fièvre, genre aspirine, vous auriez pas ?

— Et merde, merde, merde !

— Le mieux, c'est d'appeler un docteur, conclut Joseph, découragé.

— Excellente idée, approuva Igor. Et qu'est-ce que tu lui diras au toubib ? Qu'on s'est offert une crise de croissance dans la nuit et que les parents ont rétréci au lavage ? Tu veux qu'on finisse à l'asile ?

— Faut qu'i' prenne un bain.

Ce fut comme si tout s'arrêtait. Igor passa la tête dans la chambre.

– Qu'est-ce que tu dis, toi ?

– Faut qu'i' prenne un bain, répéta Moune, comme si elle n'avait jamais éprouvé la moindre frayeur.

– Un bain ? répéta Igor.

– Bien sûr, hurla Joseph, un bain ! C'est ce qu'elle faisait quand j'avais la fièvre, elle me foutait dans un bain ! C'est radical !

– Un bain froid ? demanda Igor.

– Deux degrés en dessous, fit Moune paisiblement.

– En dessous de quoi ? demanda Igor.

– De sa température, fit Moune en levant les yeux au ciel.

– ...

– Rectale ! précisa-t-elle, l'index dressé.

★

Debout dans l'entrée, Tatiana ne bougeait plus, ne criait plus. Tatiana était tombée en adoration et en silence. Ismaël avait refermé la porte de l'appartement sans la quitter des yeux. Puis il était resté debout là, devant elle, résolu à laisser la vie passer.

– Comment tu t'appelles ? demanda enfin Tatiana.

– Ismaël.

Sur quoi, le petit rondouillard en djellaba mit devant ses lèvres un doigt qui commandait silencieusement le silence.

...

Et moi... moi... à une éternité de là, moi, si j'avais encore eu un cœur pour battre, il se serait arrêté net, tant l'évidence se tenait là, bien droite et manifeste dans ce bonhomme en djellaba, mon successeur, le tombeur du champion, ma suite en chair, en os et en long devenir...

Certaines fleurs, sur certaine tombe, vont entrer dans le souci si le temps ne se met pas à la pluie...

...

Ismaël prit la boîte de pastels et le carton à dessins que Nourdine avait abandonnés dans l'entrée, il fit signe à Tatiana de le suivre dans le salon, mais il s'effaça devant elle sur le pas de la porte. Ce courtois petit écart, le regard de gratitude qui l'en remercia auraient suffi à me briser le cœur, en mon temps.

...

Et le sourire de Nourdine ne me laisse guère d'illusions non plus, quand, revenant de la cuisine où il est allé préparer « quelque chose de chaud », il entrevoit, par la porte du salon, une Tatiana de six ou sept ans posant pour le reste de ses jours devant un peintre qui ne la quittera plus des yeux.

★

Bref, on en était là. Pope et Moune clapotaient dans un bain de température et de saveur sensiblement identiques au tilleul où les trois grands trempaient des lèvres circonspectes.

– Le tilleul, ça fait dormir, non ? demanda Joseph.

– Oui, et les pruneaux ça fait chier, répondit Nourdine.

– T'es con ! éructa Igor en s'étouffant dans son bol.

– C'est dans Molière, précisa Nourdine en s'étouffant à son tour.

...

(Franchement, cette rigolade pré-adolescente dans ces carcasses quadragénaires, c'est à désespérer de l'espèce humaine. Un raccourci effrayant. La confirmation que même les grossesses les plus désirées n'apportent rien de bon.)

...

– À propos de culture, fit Joseph en reprenant son sérieux, il s'est passé un drôle de truc quand je me suis réveillé, hier matin.

– Moi aussi ! fit Nourdine en se marrant de plus belle, j'ai eu un drôle de réveil, hier matin.

Le fou rire des grands contamina la baignoire des petits qui se mit à déborder.

– Arrêtez ça, les mômes ! gueula Igor.

La baignoire se calma.

– Non, sans rire, je me suis mis à penser en anglais, continua Joseph.

– Toi ? En anglais ? s'exclama Nourdine. T'es une vraie tache en anglais !

– Déjà que tu penses difficilement en français..

...

(Triple quinte de rire, à nouveau. Confirmation définitive qu'il faut tout reprendre de zéro, les noyer à la naissance et recommencer. Travail bâclé. Dieu manque de bases. Tatiana, songes-y, la prochaine fois.)

– C'est bien ça qui m'a troué le cul, convint Joseph avec élégance. Moi, penser en anglais ! Vous pourriez peut-être traduire, puisque vous êtes si forts ?

Et il se mit à réciter, par bribes, ce qui lui avait traversé la tête :

A grinding in the bones... deadly nausea... a horror of the spirit...

– *... that cannot be exceeded at the hour of birth or death...,* poursuivit Nourdine aussi naturellement que s'il s'était réveillé, ce matin-là, dans la tête de Joseph. *Then theses agonies began swiftly to subside, and I came to myself as if out of a great sickness.* Vous voulez la suite ?

Le fait est que les deux autres le regardaient comme si la grande surprise de la veille n'avait pas été leur métamorphose. Nourdine choisit de calmer le jeu.

– Cool, les gars, là au moins, y a pas de mystère. C'est le texte de Stevenson que la prof d'anglais nous a fait apprendre au premier trimestre. Jekyll et Hyde, vous ne vous souvenez pas ? Le texte de la transformation. Au moment où il boit la potion.

– Ah oui..., fit Joseph. *I drank off the potion...*

– C'est ça.

Fut-ce l'évocation de Stevenson ? Le drame irréversible de Jekyll ? Ils tombèrent dans un silence caverneux.

– Vous savez ce qui me fait le plus chier, quand j'y pense ? demanda enfin Igor.

– ...

— ..

— C'est d'avoir paumé trente ans d'un coup,
comme ça, comme on perd un portefeuille.

Joseph ricana, mais sans conviction :

— Ah ! le temps perdu, ça c'est bien une idée
d'adulte !

— Ou une idée d'intégré, compléta Nourdine, je
croirais entendre ma sœur... le temps perdu et le
portefeuille, vous pensez qu'à ça.

— ...

— ...

— Au fond, dit enfin Joseph, si je résume ma
journée et ma nuit, je suis un adulte de douze ans
qui vient de dépenser la tune de ses parents chez
les putes, pendant qu'un enfant de quarante ans
nous fait sa première angine blanche.

— Et c'est pas tout, ajouta Nourdine en faisant
signe aux deux autres de le suivre.

Dans le salon où il les conduisit, Tatiana prenait formes et couleurs sous les pastels d'Ismaël.

IGOR (murmurant) : Et ma mère en profite pour
refaire sa vie avec un peintre muet.

NOURDINE (murmurant) : Silencieux.

IGOR (murmurant) : Si tu préfères.

JOSEPH (murmurant) : De toute façon, Ismaël,
c'est pas un bon parti pour Tatiana. Il sera toujours fauché.

NOURDINE (piqué) : Pourquoi ?

JOSEPH : Parce qu'un mec qui peint la femme
qu'il aime, ça vend pas un seul tableau.

NOURDINE : ... ?

JOSEPH (sourcils de l'évidence) : Ça les lui offre.

La sonnerie du téléphone détourna leurs trois regards.

– Qu'est-ce que je fais ? demanda Joseph.

– Décroche, conseilla Igor, c'est peut-être Yolande.

– Et si c'est pas Yolande ?

– Tu raccroches.

Ce n'était pas Yolande. Mais Joseph ne raccrocha pas. Il écouta. Puis il prit la parole. Assez longuement, d'ailleurs. Et posément.

- Ah bon ? Le champagne que nous avons commandé pour votre anniversaire ne vous convient pas ?... Trop quoi ?... Trop « commun » ? Ça veut dire quoi, « commun » ?... Hein ?... On n'aurait pas assez raqué pour cette jolie fête, Moune et moi ?... Non, je ne peux pas vous la passer, elle est dans son bain... Dans son bain, je vous dis Dites donc, tant que je vous ai, on voulait vous poser une question depuis très longtemps, moi et Moune, justement... Non, elle est dans son bain... Bon, voilà la question : combien il a de joues, Joseph ?... Le petit, oui, vous avez bien entendu, je vous demande combien notre petit Joseph a de joues... Deux ? Deux ? On est bien d'accord, il a deux joues ? Alors pourquoi vous ne l'embrassez que sur une seule ?... Si, si, vous ne l'embrassez que sur une seule, celle de droite, toujours, alors que ses cousins ont droit aux deux joues. Pourquoi ?... Vous savez pas... Une habitude... Quel genre d'habitude, vieux schmock ?... Vous ne m'autorisez pas à quoi ?... Mon ton ? Quel ton ?... Dans son bain, je vous dis, vous êtes bouché ou bourré ?... Vous allez raccrocher ? Attendez... une

dernière chose, la der des ders, promis !... Voilà ·
si vous voulez nous voir demain, à votre anniversaire, il faudra l'embrasser sur ses quatre joues,
Joseph, pile et face, vous voyez ? Et moi aussi tant
que vous y serez, sur mes quatre joues, d'accord ?
Sinon, je vous botte les deux de derrière.

Il y eut un déclic lointain.

– Il a raccroché.

– Qui c'était ? demanda Nourdine.

– Son grand-père, répondit Igor.

Joseph raccrocha à son tour.

– Elle a quand même eu du bon, cette rédac.

18

Quand Rachida se réveilla, la tête du petit rouquin pesait sur son épaule. Rachida s'était endormie comme on se noie. Elle se réveillait comme on émerge, l'œil lourd et la bouche salée, échouée sur une grève inconnue, après avoir dérivé longtemps, sous la protection du petit rouquin. Nouveau matin et matin nouveau... cette journée ne ressemblerait pas aux autres, Rachida en avait l'intuition. Elle dégagea son épaule et déposa la tête du rouquin sur l'oreiller, comme une offrande. Son prénom, déjà? Ah! Éric! Éric le cambrioleur...

Oui, trois sacs prêts pour la revente attendaient bel et bien Éric dans la cuisine. Rachida les ouvrit, en sortit juste de quoi préparer le petit déjeuner. Quand elle se fut lavée, maquillée, coiffée, habillée, apprêtée (cheveux tirés, tailleur saumon, bijoux sonnants, collants beiges et fond de teint pâlichon), elle se pencha sur le pilleur d'épaves et murmura son prénom.

Éric ouvrit un œil qui ne la reconnut pas.

Ce fut à son tour de bondir et de se rencogner dans l'angle du mur, le cœur battant la retraite.

Puis quelque chose se relâcha en lui, il souffla un bon coup et dit :

– Ah ! Je comprends !

Rachida voulut savoir ce qu'il comprenait.

– T'es pas une conne, expliqua Éric, tu es *habillée* comme une conne, c'est pas du tout pareil.

Elle hésita entre la baffe et le plaidoyer.

– Comment veux-tu que je m'habille ? Il faut que j'aille travailler !

– Comme tu étais hier soir !

Elle eut un rire clair.

– J'étais en chemise de nuit, hier soir !

– C'était beaucoup mieux que ce... (il montra le tailleur)... cet uniforme, là, et ces... (il montrait les bijoux)... ces décorations ! Et puis qu'est-ce que c'est que ce... (il montrait ses cheveux)... ce casque à la con ? Qu'est-ce que t'as fait à tes cheveux ? Et pourquoi tu es toute... (de loin ses mains dessinaient son visage)... pâle comme ça, c'est pas du tout ta couleur !

Rachida ne se sentit pas la force d'expliquer au rouquin qu'elle n'était pas habillée mais armée comme un vaisseau de guerre, esthétique méthodiquement conquise au cours de ses années de fac, ses stages de formation, sa quête de travail, décodage minutieux des parures d'entreprise, singerie vitale, armement dissuasif, qui en imposait à sa hiérarchie et maintenait les distances entre le regard des hommes et la documentaliste deuxième génération, qu'elle était bien obligée d'endosser cette armure pour défendre ceux ou celles de ses collègues qui risquaient tous les jours de se faire jeter sur la première charrette de passage, qu'elle était parfaitement consciente de se couler chaque matin dans un harnais de caste tout sonnant de grelots, mais qu'il n'y avait pas de mise plus efficace pour gagner aux prud'hommes, et puis il fallait bien que quelqu'un fournisse, dans cette famille, et si ce n'était elle, qui d'autre ? Hein, qui ? Tout le monde ne pouvait pas être fringué comme un monte-en-l'air qui ne sortait que la nuit, se foutait du tiers comme du quart, baskets et survêtement dès le départ, et qui finirait en taule, survêtement et baskets, à chacun sa parure, après tout on ne s'habille que pour son futur...

C'est alors qu'elle reconnut le survêtement :

– Et toi, qu'est-ce que tu fais dans le survêtement de Nourdine ?

– C'est le grand flic beur qui me l'a donné, répondit Éric sans s'émouvoir, mais c'est pas de ça qu'on parle. Si tu veux qu'on retrouve ton père et ton frère, je veux bien te donner un coup de main, mais je sors pas avec toi habillée comme ça.

★

Bien. La situation était donc la suivante : Igor, Nourdine et Joseph étaient flanqués de quatre enfants qui, la veille encore, étaient leurs parents. Le plus petit des quatre s'occupait à immortaliser la femme de ses rêves... Double constance de l'amour et de la vocation. Le modèle, une gamine montée sur les ressorts de la malfaisance — naguère une veuve inconsolable autant qu'indigne —, s'était soudainement calmée, avait pris la

196

pose, tranquille, pour l'éternité du maître. Immobile et muette, elle était l'objet et le sujet. Tous deux, le peintre et le modèle, se suffisaient si bien à eux-mêmes qu'on ne pouvait rester là, à les regarder, sans éprouver un malaise confus, la certitude d'une indiscrétion biblique.

Les trois grands refermèrent la porte comme on s'excuse.

Bon. Restaient les deux autres, dans la baignoire. Lui, le garçon, venait de leur résumer, dans un délire parfaitement réaliste, la substance d'une entrevue qu'il avait eue avec le professeur de français de son fils, et l'autre, la fille, son index levé, leur avait parlé de température « rectale » et conseillé, pour faire tomber la fièvre du garçon, un truc que seules pratiquent les mères avérées.

La question se posait de nouveau.

La même question.

Qu'Igor posa pour la deuxième fois :

– Alors, ils savent ? Ils savent ce qui se passe, ou ils sont inconscients, comme de vrais gosses ?

Tous les trois se tenaient debout dans le couloir, entre le salon et la chambre, no man's land de l'incertitude, très embarrassés dans leur nouveau corps et dans leur vieille ignorance.

– Ils savent, hasarda Joseph, mais ils ne l'avoueront jamais.

– Pourquoi ? demanda Igor.

– Parce qu'ils sont heureux, laissa tomber Nourdine.

Rien ne pouvait les accabler davantage que la nouvelle de ce bonheur.

- Ils savent, hein ? gronda Joseph. Et ils nous laissent nous démerder...

Alors lui vint à l'esprit que si les parents savaient et se taisaient, c'est qu'ils étaient complices avec Crastaing. Qu'Igor, Nourdine et lui, Joseph, vivaient un épisode particulièrement vicelard de la guerre pédagogique, laquelle, quoi qu'on en dise, rassemble maîtres et parents sous la même adulte bannière. Bien sûr, se disait Joseph (intuition confuse, que je traduis au plus près), bien sûr, école et famille se livrent bataille en apparence, le prof vilipende les géniteurs et le père jure ses grands dieux qu'il ne veut plus entendre parler de Crastaing, mais on s'allie en douce, on traite en sous-main, on donne le feu vert à la punition, on aide peut-être même le prof à concevoir le sujet de la rédac : « Et si vous leur demandiez de se mettre un peu à notre place, pour voir ? — Excellente idée ! » Sitôt proposée, sitôt exécutée : on arrache les garçons à leurs derniers mois d'enfance pour les placer tout ahuris aux commandes des responsabilités adultes. Qu'ils comprennent enfin ce qu'être grand veut dire. Qu'ils mesurent à quel point l'enfance, sous nos latitudes, est un privilège ! Et la maturité un apostolat ! C'était ça, oui, leur plan de bataille : comme les engueulades ne suffisaient plus, comme la persuasion avait fait long feu, ils avaient mis au point une nouvelle méthode, la leçon de morale par la rédaction vécue. Et tout le monde participait activement au devoir. Les parents étaient entrés dans la rédac (au nom du sacrifice éducatif, cela va sans dire, Joseph les entend d'ici : « Il le faut, je t'assure, ça fera du

198

bien au petit... »), ils avaient rapetissé et tenu leur rôle de nains hystériques à la perfection. Ils avaient fait les crétins dans la cuisine et jouaient les poulbots amoureux dans le salon, pendant que les trois grands s'empêtraient dans l'obscène turgescence de leurs corps. Ils s'étaient bombardés de purée et avaient babillé jusqu'à plus soif : « On dirait que ce serait comme ça, notre histoire. Moi, je serais le méchant ; Pope, tu serais le héros, et Moune, tu serais le plus grand docteur de la guerre... », et si j'allais les noyer dans leur bain ?

Joseph en eut le souffle coupé.

Qu'est-ce qui se passerait, si je les noyais dans leur bain ?

Il vacilla. Il dut s'adosser au mur du couloir. Lui qui, une demi-heure plus tôt, mourait du chagrin de l'orphelin...

Qu'est-ce qui se passerait ? Crastaing avait-il seulement envisagé cette hypothèse ? Après tout, on voyait bien des adultes jeter leurs parents dans des mouroirs sur le seul soupçon de gâtisme... Puisque l'occasion se présentait, il ne serait pas plus monstrueux de noyer ceux-là dans le bain de leur enfance retrouvée... L'intention serait la même, pour une situation somme toute assez semblable : gâtisme prématuré. Ce serait même moins cruel qu'une longue agonie en asile... Quand on a du cœur, il faut l'avoir prévoyant.

– À quoi tu penses, Joseph ?

Pour ce qui était de la responsabilité, il n'y aurait qu'à la chercher du côté de Crastaing. (« La solidarité entraîne des conséquences », c'est lui qui l'avait dit, non ?) D'ordinaire on ne peut pas grand-chose contre un prof, mais si j'arrive à lui coller ça sur le dos, ça ressemblerait assez à une faute professionnelle grave...

– Joseph ? À quoi tu penses ?

Je n'ai pas demandé à naître, encore moins à avoir des enfants, je n'ai rien demandé à personne, surtout pas à devenir adulte du jour au lendemain avec deux mouflets à élever que je n'ai même pas eu le plaisir de concevoir...

– Joseph ?

Joseph regarda les deux autres. Il eut un sourire apaisant.

– Restez ici, je vais voir comment ça se passe dans la salle de bains.

Porte entrouverte, la salle de bains était tout a fait silencieuse. Ils se sont peut-être noyés tout seuls ?

Joseph prit sa respiration et ouvrit grand la porte. La bassine d'eau froide qui y tenait en équilibre se renversa sur sa tête et les deux petits, embusqués dans la baignoire, jaillirent, la douche en batterie, feu à volonté, avec les hurlements de la victoire enfantine.

★

Igor n'aurait pas dû rire.

Tout est venu du rire d'Igor.

La joie des gosses, la salle de bains inondée, Joseph trempé comme une soupe, non Igor n'aurait même pas dû entrer dans la chambre où Joseph avait battu en retraite. Et rire, surtout pas.

Erreur d'appréciation. Ce n'était pas le moment le plus drôle de leur existence, non.

– Parce que ça te fait marrer ?

Un bond ! Un choc ! Igor n'aurait jamais soupçonné une pareille détente chez son vieux créchon.

– Ça te fait marrer ?

Igor bascula par-dessus le lit, et se retrouva coincé dans la ruelle par un Joseph dégoulinant qui lui rendait la strangulation de la veille en lui écrasant les poumons sous ses genoux osseux :

– On est dans la merde à cause de ton dessin à la con, et tu te marres ! Tu fais chier Crastaing jusqu'à ce qu'il nous plonge dedans, et tu te marres, pauvre con !

Il n'y a pas d'explication possible en vieille amitié. Tout reproche de l'un réveille en l'autre le soupçon d'une offense plus ancienne (« c'est pas moi qui ai commencé »). Les amis croient se battre au nom du sentiment bafoué, mais c'est leur innocence qu'ils défendent, pas leur amitié. Et la passion de l'innocence déclenche les guerres les plus meurtrières.

Ce que le poing d'Igor fit savoir à la mâchoire de Joseph. Joseph n'aurait jamais cru qu'on pût s'envoler sous l'effet d'un coup de poing. Il s'envola pourtant, et retomba sur le lit, Igor s'abattant sur lui de toute son incroyable densité musculaire.

– Et qui est-ce qui me l'a piqué, le dessin ? Et qui est-ce qui s'est fait choper ? Et qui est-ce qui me l'a fait faire, cette putain de rédac, en sachant très bien ce qui nous arriverait, à ma mère et à moi ?

Joseph ne répondit pas, ses pieds battaient le vide, ses genoux cherchaient à briser le dos d'Igor, lui casser la colonne vertébrale, ni plus ni moins.

– Ne me parle pas de ta mère après ce que tu as dit de la mienne au téléphone, espèce de fumier !

C'est à ce stade du conflit — un peu tardivement, comme toujours en pareil cas — que Nourdine proposa sa médiation.

– Arrêtez ! Arrêtez, putain ! C'est pas le moment de nous...

Igor le cloua du doigt.

– Toi, on t'a rien demandé !

Ce que Joseph confirma après un coup de tête dont la déflagration aveugla Igor.

– C'est vrai, lâche-nous ! C'est entre cet enculé et moi !

Le combat aurait trouvé son deuxième souffle si Nourdine ne s'était mis à hurler du plus profond de son enfance, et de l'enfance d'Ismaël son père, du plus profond de la rage de Rachida, et de tous les frères et sœurs de la deuxième génération .

– Je sais bien que c'est entre vous deux ! Depuis toujours c'est entre vous deux. Depuis la sixième, c'est entre vous deux. Toutes les sorties, toutes les rigolades, toutes les engueulades, tous les anniversaires, toutes les récrés, tous les cinés, ça a toujours été entre vous deux, fils de putes que vous êtes ! Ça a toujours été entre vos deux têtes de con ! Et pourquoi vous croyez que j'ai dit que c'était moi, le dessin ? Hein ? Pourquoi ? Vous y avez pensé, à ça ? Vous y avez pensé *vrai-*

ment ? Pourquoi il s'est levé le sale crouille du fond de la classe ? Pourquoi il s'est levé le grand con frisé du fond de la classe, à gueuler « C'est moi qui l'a fait, c'est moi qui l'a fait ! » comme s'il savait pas qu'on dit « C'est moi qui l'ai fait » ? Parce que vous étiez dans la merde et qu'il restait plus que ça à partager ! Mais vous êtes même pas foutus de partager votre merde ! Même pas votre merde, vous la partagez, la putain de votre race d'enculés de toujours !

Les larmes étouffèrent le reste, les poignes de Joseph et d'Igor se relâchèrent, la porte de la salle de bains s'ouvrit, Pope et Moune apparurent, et la gamine demanda, avec cette satisfaction particulière à l'enfance qui met le doigt sur la faute pédagogique évidente ·

– Depuis quand on se dispute devant les petits ?

– Avec plein de gros mots, en plus, souligna Pope.

19

Ils avaient épongé les larmes et le sang.

Ils avaient remis les enfants au court-bouillon.

Pendant que Joseph cherchait dans l'armoire de ses parents de quoi se changer, Igor et Nourdine laissaient traîner leur regard dans la chambre.

– Regarde-moi ça... Quel bordel !

Le désordre ne devait pas grand-chose à leur bagarre. Ce n'était pas un désordre d'adulte, c'était l'ordre cyclonique de l'enfance, le territoire ravagé de ce qui a été posé ici, déplacé là, renversé ailleurs, déchiré, éventré et aussitôt oublié, le terrain vague de la conscience enfantine, un capharnaüm antécartésien, un univers en formation, qui ne savait encore rien de ce que serait un jour la chambre de Pope et de Moune, semblable à beaucoup de chambres d'adultes, certes, mais unique pourtant, dans l'intime agencement de sa banalité.

Pas de doute, ce chaos disait clairement que Pope et Moune ne mimaient pas l'enfance Ils étaient bel et bien les enfants qu'ils étaient.

Igor, Joseph et Nourdine restaient plantés là. Ils sentaient le poids de leurs mains, au bout de leurs bras.

...

« Une chambre d'enfant à ranger, c'est une vie à construire, disait Tatiana, épaules tombées, devant la chambre d'Igor. Pierre, tu me donnes un coup de main ? »

...

– Donnez-moi un coup de main, dit enfin Joseph.

Ils commencèrent par ouvrir la fenêtre et le lit, battirent les oreillers au grand air, tendirent le drap du dessous. Ils travaillaient méthodiquement. Ils répétaient des gestes antiques. Ils remettaient le monde en ordre. Ils se taisaient. Pas seulement à cause de cette bagarre et de ce qu'ils s'étaient dit, ni parce qu'ils se demandaient comment ils allaient s'en sortir, non, pour la première fois de leur vie ils avaient besoin de silence. Un aliment.

Ce fut dans ce silence que la sonnette retentit.

Ils ne l'entendirent pas, d'abord. Ou ne voulurent pas l'entendre. Ils bordaient. Ils tapotaient un dessus-de-lit. Ils travaillaient au carré.

Un certain temps s'écoula avant le deuxième coup de sonnette.

Ce fut l'attente du troisième coup qui leur fit dresser l'oreille. Le silence avait changé de nature. Le troisième coup ne venait pas. Un silence menaçant, à présent. Le silence d'une attente muette derrière la porte fermée. Il y avait quelqu'un sur le palier. Quelqu'un qui attendait patiemment qu'on vînt lui ouvrir. Quelqu'un qui ne s'abaisserait pas à sonner une troisième fois.

Ils y allèrent sur la pointe des pieds.

Joseph colla son œil au judas.

– Il n'y a personne, chuchota-t-il.

– Fais voir !

Nourdine confirma

– Personne.

Le troisième coup de sonnette, très bref, les électrocuta.

– Il y a quelqu'un.

Igor ouvrit la porte mais ne vit personne. Le palier était désert.

– Je suis là.

Tous les trois baissèrent les yeux. Ce qu'ils virent ne mesurait pas plus d'un mètre vingt. Ça levait la tête vers eux. Ça se ressemblait comme deux gouttes d'eau, mais on ne pouvait absolument pas y croire. Ça portait le même costume avec la même tache violette à la place du stylo, les mêmes lunettes sparadrap, le même cartable. Ça avait la même tête, surtout, si pâle qu'elle n'était qu'un contour, avec, au fond des yeux, la même expression de désespoir et d'autorité mêlés. Pas un enfant. Un modèle réduit.

– Crastaing ? demanda Nourdine.

– Monsieur Crastaing ? corrigea Joseph.

– C'est vous ? C'est lui ? s'empêtra Igor.

Silence.

– Kader ? Laforgue ? Pritsky ? demanda l'autre sans broncher.

C'était la même voix. Avant la mue, mais la même. Crissement de craie sur tableau noir.

– Je peux entrer ?

Ils s'effacèrent pour le laisser passer.

Il entra. Il aperçut Ismaël et Tatiana par la

porte ouverte du salon. Il s'approcha, sourcils froncés :

– Je vois. Amoureux. Débutants...

Le même ton, aussi. Suspicion méprisante. Il se retourna, les regarda, les jaugea, puis :

– Inutile de vous dire que je suis navré de la situation où je vous ai mis. Mais qui aurait pu prévoir ? N'est-ce pas ?

C'était bien lui. Réduit aux trois quarts de lui-même, mais lui. C'était M. Crastaing.

– Je vous prie d'accepter mes excuses.

D'une voix qui ne s'excusait pas.

– Je vais faire du café, annonça Joseph en reculant vers la cuisine.

– Bien noir, approuva Nourdine sans lâcher Crastaing des yeux.

– Venez, proposa Igor.

– Jamais de café, répondit Crastaing.

Mais il les suivit. Ils s'assirent autour de la table. Les pieds de Crastaing ne touchaient pas le sol.

– Bon, je vais sortir les gosses du bain, annonça Nourdine en se levant précipitamment.

– Les gosses ? demanda Crastaing.

– Mes parents, fit Joseph.

– Bien sûr, suis-je bête !

– C'est votre sujet, non ? grogna Joseph au-dessus de la cafetière.

– Sujet que j'ai traité, comme vous pouvez le constater, Pritsky. Sur votre injonction, d'ailleurs. Votre argument m'a convaincu, quand vous avez fait irruption dans ma classe. Vous aviez raison ; pour paraphraser Beaumarchais, je dirais qu'aux

devoirs qu'on exige d'un élève, bien peu de maîtres seraient dignes de le redevenir.

Qu'est-ce qu'il raconte ? se demanda Joseph. Je
comprends rien à ce qu'il raconte. C'est Crastaing. Sûr que c'est lui !

— Je suis donc allé rédiger ce devoir après mes
cours, poursuivit Crastaing. En bibliothèque, précisa-t-il. Voilà le résultat Voilà où m'a conduit
votre exigence de réciprocité. Félicitations, vraiment !

Ce n'est pas un enfant, décida Igor. Ce mec-là
n'est pas un enfant. À part la taille, rien d'un enfant. Igor y alla donc franchement :

— Non mais, Joseph, pince-moi ! Je rêve ! Ne
me dis pas que ce petit con est venu ici pour nous
engueuler !

— Ce petit con, comme vous dites, mon cher
Laforgue...

— Appelez-moi Igor, au point où on en est... Et
expliquez-nous comment votre costard a fait pour
rétrécir avec vous ?

— Je n'en ai jamais eu d'autre, tout simplement.

(Tout simplement.)

— Ce petit con, disais-je, est venu vous trouver
pour savoir comment vous comptiez le tirer de ce
mauvais pas.

Igor en resta bouche ouverte.

— Ah ! parce que c'est à nous de...

Joseph enchaîna :

— Il faut que ce soit nous qui...

— Qui d'autre, je vous prie ? Ne comptiez-vous
pas parmi mes élèves les plus... inventifs ?

Nourdine revint sur ces entrefaites :

– Ça y est, j'ai mis ton père au lit, il dort. Ça a marché, le coup du bain, la fièvre est tombée. Ta mère le surveille.

Et, à Crastaing, sans sommation :

– Bon, qu'est-ce que vous foutez là, vous ? Vous manquez pas d'air ! Pourquoi vous étiez pas chez vous, hier soir ? Qu'est-ce que c'est que ce bordel, on peut savoir ? Encore une méthode à la con pour nous faire travailler ? Ça va durer combien de temps ? Vous vous rendez compte de ce que vous avez fait ? Vous avez vu l'état des parents ? Et nous ? Pas plus tard que tout à l'heure, on a failli se foutre sur la gueule à cause de vous !

★

Crastaing leur expliqua ce qu'il « foutait là » et pourquoi il n'était pas chez lui hier soir. Il se montra désolé que la situation eût « suscité quelques tensions entre eux », ce qui, à vrai dire, ne le surprenait guère, la solidarité étant « éminemment soluble dans la panique ». Quant à déterminer la nature du « bordel en question », il en était malheureusement incapable. Non, il ne s'agissait pas d'un projet pédagogique, non. Il n'était d'ailleurs pas un tenant de la « pédagogie active » ; la seule méthode qui valût à ses yeux, en matière de travail, était le travail, tout simplement, celui du maître et celui de l'élève, le reste n'étant que « faux-fuyant, mensonge, démagogie et compagnie ». En leur proposant cette rédaction, il leur avait donné un sujet « mûrement réfléchi », qu'il

avait mis, « somme toute, des années à concevoir ». Mais voilà, il s'était passé quelque chose de
scientifiquement inexplicable et de rationnelle-
ment inadmissible, dont lui-même, Crastaing,
« comme vous pouvez le constater », avait été la
victime, avec ce facteur aggravant que sa métamorphose à lui avait eu lieu « dans les toilettes
d'une bibliothèque publique ».

– Oh ? firent les trois autres d'une seule voix.

Parfaitement. Il ne travaillait qu'« en bibliothèque », ne préparait ses cours qu'« en bibliothèque », ne corrigeait ses devoirs qu'« en bibliothèque », il était donc parfaitement naturel qu'il se
fût rendu « en bibliothèque » pour écrire ce corrigé. L'imagination n'étant pas le mensonge,
comme il s'usait à le leur répéter, il avait résolu
de consulter « tous les ouvrages de sa mémoire »
qui traitaient de l'enfance adulte et des adultes
enfants, du Gavroche des *Misérables,* « Gavroche,
l'enfant-homme de Victor Hugo », à Dora, la *child
wife* de Dickens, « mais si, voyons, Dora, l'épouse
enfant, souvenez-vous, *David Copperfield* ! et qui
mourra de ne pouvoir s'affranchir de son enfance ! », en passant par Lolita, « la gamine souterrai-
nement dominante » du « sulfureux Nabokov », et
son cousin péruvien, le petit Alfonsito, « mais bien
entendu, vous n'avez pas lu l'*Éloge de la marâtre,*
ni ne connaissez les noms de Vargas Llosa ou de
Nabokov, n'est-ce pas, et n'avez jamais entendu
parler de Günter Grass, le bouillonnant père
d'Oscar... Oscar... Oscar Matzerath qui a refusé
de grandir le jour de ses trois ans... », il avait décidé de leur prouver que les plus grands écrivains

s'étaient attaqués à « la problématique de cette rédaction » dont Mychkine, « le prince innocent de
Dostoïevski », était « l'illustration la plus poignan-
te » avec, peut-être, la *Little Dorrit* de Dickens,
« encore lui, oui, Dickens est partout », devenue la
maman de son papa emprisonné, mais il lui était
apparu que ces « preuves par le roman ne suffi-
raient pas à sa démonstration », et que, pour bien
faire, il fallait « s'immerger dans l'existence des
auteurs et remonter jusqu'à leur source », et il
s'était fait apporter les meilleures biographies des
auteurs en question, Dickens, Dostoïevski, Nabokov, Gombrowicz, car il ne fallait pas oublier
Gombrowicz, bien entendu, « Witold Gombrowicz, 1904, 1969 », et relire pour l'occasion son
« magistral *Ferdydurke* », où « la mature panto-
mime de l'homme conditionné le dispute à l'im-
maturité ontologique de l'espèce », lecture qui,
par voie d'association, l'avait replongé dans « l'ex-
cellent Italo Svevo », d'où il s'était trouvé précipité dans les *Confessions* du « génial imbécile, je
veux parler de Rousseau, vous l'aurez reconnu —
non, pas de café, je vous l'ai déjà dit, pas de bé-
quilles, jamais ! – », et Rousseau, par une association « que Jean-Jacques eût été le premier à ré-
prouver », l'avait amené à s'interroger sur les
rapports exacts qui régissaient la partie de cache-
cache pédagogique, « adjectif anachronique pour
une pièce du XVIIᵉ, vous voudrez bien m'en excu-
ser », que jouaient l'Arnolphe et l'Agnès de Molière (on le sait que tu connais Agnès, pensa
Nourdine avec un pincement au cœur), et ce fut
là, à ce stade de sa réflexion, son brouillon noirci

de notes essentielles, qu'il avait éprouvé une sorte de vertige, « non pas le vertige de l'ivrogne où l'homme vacille sur ses bases », mais un vertige intérieur où « mes bases vacillaient sous moi » et que, sentant la syncope toute proche, il s'était réfugié dans les toilettes de la bibliothèque.

    — ...

    — ...

    — Alors ?

    — ...

    — ...

    — La suite, m'sieur !

20

La suite ? Comme il avait tiré la porte sur lui,
« fait choir le loquet dans sa gâche », qu'il s'était
laissé tomber sur le siège des « ouatères », le ver
tige, loin de se calmer, l'avait emporté dans un
tourbillon où s'était exacerbé son désir d'appli-
quer au corrigé de ce devoir une « implacable
méthode d'exhaustion », et il s'était avisé soudain que la littérature n'y suffirait pas, qu'il lui
fallait appeler l'art tout entier à la rescousse, et
parmi tous les arts, « au premier chef » le plus
jeune d'entre eux, celui-là même qui en raison de
sa petite enfance s'exprime constamment au nom
de la maturité, « je veux parler du cinémato-
graphe », et, pendant qu'il s'évanouissait, lui vin-
rent comme le bouquet final d'un feu d'artifice
universel « toutes » les images de Federico Fellini,
« contre-plongée d'enfant écrasé par la monu-
mentale et grotesque supercherie de la maturité ! ».

– ...
– Frédériquoi ?
– Fellini. Federico. Un Italien.
– C'est quoi, comme films ?

– Les préférés de ma mère. Tais-toi, laisse-le raconter. Je te dirai après.

– ...

Quand il s'était réveillé, il n'avait rien senti d'abord. Il s'était cru assis sur un nuage. « La faute en allait » à ses pieds... ils ne touchaient plus le sol. La surprise passée, « et somme toute assez bien contrôlée », il avait sauté du siège des ouatères sur le carrelage. Tout là-haut, la poignée de la porte et le loquet tiré lui parurent filmés par Fellini. Il était au fond d'un monde en contre-plongée... Il dut remonter sur le siège et se hisser sur ses pointes pour pousser le loquet. Libéré, il sortit de la bibliothèque, non pas en se cachant, mais comme un de ces enfants « tôt éprouvés par la vie » et qui savent d'expérience que l'essentiel, en toutes circonstances, « est de tenir sa chandelle droite ». Il passa reprendre son cartable avec cet air d'autorité qui ne devait jamais le quitter, et sortit sans être inquiété. Dehors, la question se posa de ce qu'il allait faire. « Non pas *devenir*, comprenez-moi bien, cette trivialité n'a jamais été de mes préoccupations », mais *faire*, tout simplement, dans une situation inattendue qui, à bien des égards, « ne laissait pas d'être préoccupante ». Le premier miroir du premier grand magasin le confirma dans la réalité des faits. Il n'était pas redevenu enfant mais avait été réduit à la portion congrue de lui-même. Ce ne fut pas son aspect qui l'inquiéta — il se connaissait bien et n'avait pas d'autre souvenir de lui — mais sa taille seule Inquiétude « toute relative au demeurant », puisqu'il avait admis sans broncher le fait que son costume eût rétréci avec son corps, « ce qui, vous avez peut-être raison, aurait mérité que je m'y arrête, mais les circonstances ne prêtaient guère aux arguties vestimentaires ». En vérité, il y avait plus urgent. Et, comme toujours depuis qu'il était professeur, « l'urgence regardait mes élèves ». Il fallait à tout prix empêcher le jeune Laforgue de rédiger ce devoir.

- Je me suis donc rendu chez vous, Laforgue, mais je m'y suis cassé le nez

Il était dix-neuf heures passées et « l'interphone Laforgue demeurait muet ». Il supposa que Laforgue avait cédé comme lui aux injonctions de Pritsky, qu'il avait fait le devoir et se terrait quelque part, avec une mère rétrécie, « merci, Pritsky, vous jouez décidément un rôle édifiant dans cette histoire ! ». Il n'osa pas courir le risque de se rendre chez ledit Pritsky, dont la violence verbale, ce matin-là, avait assez montré qu'il ne maîtrisait pas plus ses nerfs que la situation. « En revanche », il était peut-être encore temps de « retenir la plume du jeune Kader ». Kader l'avait habitué à tant d'absences injustifiées, « vous ne contesterez pas ce point, Kader », qu'il restait une petite chance pour qu'il n'eût pas encore rédigé « le devoir fatal ». À vingt heures, hélas ! personne chez les Kader.

- Ma sœur n'était pas encore rentrée du travail.
- Probablement.

Après une « longue et vaine attente », il prit la décision de rentrer chez lui « pour y attendre le lendemain ». Peut-être la nuit dissiperait-elle ce qui pouvait n'être qu'un mauvais rêve, mais il en doutait, d'autant plus qu'il ne rêvait jamais, « songes pas plus que mensonges ne figurant à la liste de mes nécessités ».

– Alors, vous êtes rentré chez vous ?

Oui, pour y entendre, debout sur son palier, trois élèves débattre de sa vie sexuelle et demander à l'un d'entre eux, « vous, Kader », si par hasard il ne l'aurait pas assassiné, lui, Crastaing. La question avait été posée avec un si parfait naturel, et la garantie du secret offerte avec une si tranquille sincérité, qu'il jugea prudent d'aller passer le reste de la nuit dans la station du métropolitain la plus proche. Là, il « délibéra longuement sur la conduite à tenir » et ne trouva le sommeil qu'après décision prise.

– C'était quoi, la décision ?

– Me rendre à vous en l'état où le réveil me trouverait.

– Vous rendre ?

– Me rendre. Me remettre entre vos mains. Courir le risque d'une vengeance, ou vous convaincre de faire front commun contre l'adversité.

– Qu'est-ce que vous dites ? Qu'est-ce qu'il dit ? Front quoi ? Putain, je comprends pas la moitié de ce qu'il dit.

– C'est que l'autre moitié vous fait cruellement défaut, Pritsky.

– Hein ?

– Soyons lucides, messieurs les enfants, je ne suis pas plus retombé en enfance que vous n'avez gagné en maturité, dans ce devoir. Nous sommes, comment dire... les caricatures de ce que nous fûmes tout en demeurant ce que nous étions .

216

trois pré-adolescents irresponsables, flanqués d'un vieux pédagogue passionné. Les circonstances étant ce qu'elles sont, je ne vois qu'une alliance résolue entre votre imagination et mon expérience pour nous tirer, s'il est possible, de ce mauvais pas.

IGOR : Et les petits ?

CRASTAING : Je vous demande pardon, Laforgue ?

IGOR : Les petits. Les parents... Ils savent qu'ils sont adultes ? Ils savent, eux aussi, qu'en réalité rien n'a vraiment changé ?

CRASTAING : Les enfants... ce que savent les enfants... mon pauvre Laforgue, j'y ai usé ma vie. Henry James vous répondrait...

JOSEPH : Qui ça ?

CRASTAING : Personne, excusez-moi. Les enfants sont des énigmes lumineuses

JOSEPH : ...

NOURDINE : D'accord...

IGOR : Ça aide...

JOSEPH : On dirait une phrase de Rabbi Razon...

CRASTAING : Une phrase de qui ?

JOSEPH : De personne, excusez-moi.

NOURDINE : ...

IGOR : ...

CRASTAING : ...

JOSEPH : Encore du café ?

IGOR : Sans sucre.

JOSEPH : Nourdine ?

NOURDINE : Avec. Trois.

JOSEPH : ...

IGOR : ...

NOURDINE : ...

CRASTAING : Le friselis du café entre vos lèvres, le tintement des petites cuillers, ce silence...

JOSEPH : ...

IGOR : ...

NOURDINE : ...

CRASTAING : On se croirait dans une nouvelle de Saki.

JOSEPH : ?

IGOR : ?

NOURDINE : ?

CRASTAING : À l'heure morne du thé, chez une quelconque tante Augusta où le pauvre Clovis aggrave sa dépression..

NOURDINE : ...

JOSEPH : Clovis, le roi ?

IGOR : ...

CRASTAING : Non, Pritsky, pas le roi, non.

JOSEPH : ..

NOURDINE : ...

IGOR : ...

CRASTAING : ...

Ce fut une voix très douce qui les sauva de ce silence :

– Et alors ? Vous ne l'avez pas entendu ?

Tatiana, debout à la porte de la cuisine, leur montrait gentiment le téléphone portable.

– Il sonne *depuis un quart d'heure.*

Elle ajouta, avec un sourire navré :

– Ça dérange Ismaël.

Elle parlait juste au-dessus du murmure.

Joseph demanda :

– Qui est-ce ?

– Un monsieur.

– Quel genre de monsieur ?

– Un monsieur de l'école.

– De l'école ?

– Du collège, il a dit du collège.

– Qu'est-ce qu'il veut ?

– M. Pritsky.

– ...

– ...

– Donne.

★

Le « monsieur du collège », en l'occurrence M. Lanval, le principal, flanqué de M. Foiriez, le conseiller d'éducation (« On ne court pas dans les couloirs »), se tenait assis derrière son bureau, un téléphone à la main, les yeux posés sur un couple énigmatique et charmant. Lui, le gamin, un petit rouquin à l'œil vif, portait le survêtement d'un élève absent (« C'est au collège qu'il faut chercher ton frère, avait décrété Éric, ils savent tout, les profs, mieux que les flics ! »), et elle, la... « princesse du désert à la crinière de lionne... non, de lion... enfin... tudieu qu'elle est jolie dans cette robe d'Apache ! »... se trouvait être la sœur de l'absent dont elle venait signaler la disparition. M. Lanval tentait d'expliquer la situation, de sa voix distraite, intermittente, qui ne semblait jamais croire tout à fait à ce qu'elle disait :

LANVAL : Oui, monsieur Pritsky... une... disparition... un petit rouquin, là devant moi, avec le survêtement d'un ami de votre petit, le petit...

(main sur le téléphone, signe de tête à Rachida :
le petit comment, déjà ?)...

RACHIDA : Kader, Nourdine Kader...

LANVAL : Kader, Nourdine Kader, disparu de
chez lui. oui, depuis avant-hier soir... et pas au
collège ce matin... votre petit non plus, d'ailleurs... absent... pas disparu, j'espère ?... avec le
troisième petit, le petit La... (main sur téléphone,
signe de tête)...

RACHIDA : Laforgue...

LANVAL : Lafargue, c'est ça... le petit...
Lafarge... absents tous les trois... il faudrait venir
au collège avec Mme Laforge... oui... de toute urgence... parce que c'est très... leur professeur éga-
lement, vous comprenez ?... Crastaing... disparu...
inquiétant... ce professeur, ils l'ont peut-être...

Ici, M. Foiriez siffla les termes exacts dans
l'oreille de monsieur le principal, qui, décidément, ne s'y ferait jamais :

– Zigouillé ! Buté ! Flingué ! Éliminé ! Repas-
sé ! Ils l'ont peut-être refroidi ! Trois élèves et un
prof évaporés après une engueulade, c'est très
louche par les temps qui courent. Neuf chances
sur dix pour que ces petits cons aient bousillé
Crastaing, et que leurs parents les couvrent.
Qu'ils rappliquent tout de suite ou on appelle les
flics ! Voilà !

★

– Ils veulent voir les parents ?
– Sinon ils appellent les flics.
– Pourquoi les flics ?

– Ils pensent qu'on a tué Crastaing.

Ils s'étaient éloignés dans le couloir. Ils chuchotaient autour du téléphone maintenant silencieux. Igor, Nourdine, Joseph.

– Et tu as dit oui ?

– Qu'est-ce qu'il fallait que je dise ?

– Tu veux que Tatiana finisse à la DDASS ?

– Arrête, Igor, tu vas nous lâcher un peu avec ta mère, oui ? Y a pas que ta mère dans la vie ! Ils pensent qu'on s'est fait le Crastaing, tu réalises ? Ils vont mettre les flics sur le coup, tu imagines ?

IGOR : Mais, puisqu'il est ici, Crastaing !

NOURDINE : Alors c'est pire. Ils diront qu'on l'a réduit, comme les Indiens jivaros. Je vois les titres : « Recrudescence de la violence à l'école. Trois élèves, dont un "deuxième génération", réduisent leur professeur de français. » À votre avis, ça va chercher dans les combien, une réduction de prof ?

JOSEPH : Qui c'est, le petit rouquin qui se trimbale avec ton survêtement et ta sœur ?

NOURDINE : Un keuf, justement. Éric, il s'appelle.

IGOR (montrant l'uniforme de Nourdine) : Ah ! C'est à lui ce...

NOURDINE : C'est à lui, oui. J'ai passé la nuit au poste. Et le matin je lui ai filé mon survêt.

JOSEPH : Putain, mais qu'est-ce qu'on va faire ? Qu'est-ce qu'on va faire ?

– Vous allez vous rendre à cette convocation, tout bonnement.

Leurs six yeux se baissèrent.

Pour se détourner, sous l'autorité du regard qui montait jusqu'à eux.

Crastaing se fit explicite :

— Vous allez vous rendre à cette convocation, parce que vous n'avez pas le choix. Là, vous jouerez le rôle de vos pères. Une composition qui vous passionnera, d'ailleurs, tous les élèves rêvent au moins une fois de cette aubaine. Vrai ou faux ?

Leurs hochements de tête convinrent que c'était vrai. Un peu.

— Eh bien, profitez-en. Et soyez convaincants ! Que ce devoir serve au moins à ça ! Il faut nous faire gagner le plus de temps possible Vu mon état, je ne pourrai malheureusement pas vous accompagner, mais nous allons répéter la scène ensemble. Vous verrez, tout se passera très bien.

— Mais, monsieur, mon père..

— Je sais, Laforgue. Votre père est décédé et votre mère n'est pas présentable. Là aussi, il y a une solution.

Crastaing claqua des doigts.

— Téléphone, je vous prie.

On lui passa le téléphone.

21

Le petit client s'était engagé timidement dans
l'Allée des femmes. Le petit client était un oiseau
diurne. La nuit l'intimidait. Les femmes, la nuit,
étaient des statues d'ombre et de lumière qui vous
regardaient de plus haut. Le petit client avait peur
des statues. Et puis il pensait que les femmes du
matin étaient moins onéreuses que les femmes du
soir. Le petit client traversait une mauvaise passe.
Solitaire et désargenté. Besoin d'une femme,
donc. L'Allée des femmes l'avait déjà vu passer
une fois, comme un qui ferait clandestinement la
revue de ses troupes. Petit pas hâtif et serré, regard droit de celui qui vaque à ses affaires, mais
les yeux sur les tempes, qui balayaient les deux
côtés de l'allée en même temps. Les femmes ne
s'y trompaient pas, elles connaissaient bien ce regard bilatéral. Le petit client avait disparu au
coin, là-bas. L'Allée des femmes savait d'expérience qu'il repasserait. Josie et Samantha avaient
parié mollement. C'était sûr, il repasserait. Et
voilà, il repassait. Il avait fait son choix. Même
qu'à suivre son regard tendu, le choix, c'était Yolande. Et un timide pour Yolande, un ! Tous les

timides choisissaient Yolande. Enfin, presque tous. Ou Agnès, quand c'étaient de jeunes timides. Cela aussi faisait l'objet de paris distrayants. Qui pour qui ? Quel type de type pour quel genre de fille ? Elles perdaient rarement à ce jeu-là. Elles pariaient pour le plaisir. Elles auraient même pu parier que Yolande allait grimper pour un petit coup rapide et une longue parlote. C'était couru d'avance. Le petit client devait être un parleur. « Faut pas négliger les pipelets, disait Yolande, c'est le vrai fonds du commerce ! » Quand Samantha lui objectait que le bavardage c'était du manque à gagner, Yolande répondait long terme : « Bien sûr, on peut se les faire vite fait, au coup par coup, à la muette, et gratter sur le service, mais c'est du petit gain. Croyez-moi, les filles, qu'on le veuille ou non, l'oreille c'est le fondement de la profession. Vous croyez qu'ils grimpent pour vous grimper, tous autant qu'ils sont ? Mais non, ils viennent se faire écouter. Leur affaire expédiée, c'est votre oreille qu'il leur faut. Causer. Comme chez le toubib. C'est pour ça que le tarif est le même. Et dites-vous bien une chose : un parleur satisfait, c'est un client qui revient. »

...

(Ce que Yolande m'avait dit à moi aussi, sous une forme plus concise : « L'homme a besoin d'une Oreille, mon petit Pierrot. Le métier ne tient qu'à ça. »)

...

Le petit client se trouvait maintenant sous le socle de Yolande.

- C'est combien ?

Yolande dit combien c'était.

La somme dut convenir parce que le petit client battit presque des mains :

– Alors, on monte ?

Yolande allait monter quand un oiseau stridula entre ses seins. Yolande y fouilla, piocha son portable, et, comme elle ne tolérait pas les appels pendant le travail, elle demanda sans aménité :

– Qu'est-ce que c'est ?

Le petit client perçut un changement dans son maintien de femme vaisseau. Un brusque amollissement de la voilure.

– Albert, c'est toi ?

Au petit client, elle dit, la main sur le téléphone :

– Voyez ma collègue.

Et, à Samantha :

– Samantha, occupe-toi du monsieur.

Samantha poussa un gros soupir, moins par mauvaise grâce que pour manifester son indépendance. Yolande lui tendit le téléphone.

– Tu préfères que je te passe Albert ?

Samantha disparut avec le monsieur.

– Albert ? Ben alors, où que t'étais passé, mon grand ? T'en as, une petite voix !... « Précisément », t'es devenu petit ? Comment ça, t'es devenu petit ?... Ah !... Eh ben tu veux que je te dise ? Ça peut pas te faire de mal, mon grand !... Mais si, justement, les petits faut les appeler mon grand et les grands faut les appeler mon petit, faut encourager tout le monde !... Tes élèves ?... Ils sont devenus grands ? C'est ça la vie de prof, non ? On arrose, on arrose et ça pousse ! On voit grandir. Comme nous autres, en somme... Bon c'est pas tout ça mais qu'est-ce tu me veux ? J'étais en main, là, j'allais grimper... Quoi ?... La mère à qui ?... Où ça ?... Quel collège ?... À quelle heure ?... Oui, je peux faire un écart, c'est juste une question de prix... Qu'est-ce tu dis ?... Bien sûr, je sais me tenir ! Pour qui tu me prends, une radeuse sans éducation ? Là, tu me chiffonnes, Albert, je te le dis tout net ! Tu crois que le tapin c'est l'instinct de la femme ? Un vice naturel ? Le turf, c'est un métier, mon petit bonhomme ! Ça s'apprend et ça se contrôle ! Du théâtre ! Un métier de l'Éducation, même, si tu veux mon avis ! Ils donneraient moins dans la déprime, tes chers collègues, s'ils venaient faire des petits stages par chez nous ! Ils seraient plus adaptables. Combien tu crois que j'ai joué de rôles différents aujourd'hui, rien qu'aujourd'hui ? Dis un chiffre pour voir... Mais non, c'est pas des excuses, que je veux... Un peu de considération... Un minimum... Ça va, ça va... Comment il se nomme, mon rôle ? Mme Laforgue ? Va pour Mme Laforgue. Aie pas peur, Albert, je vais pas le vamper, ton dirlo !

★

Oui, M. Lanval, le principal du collège, trouva Mme Laforgue parfaitement à son goût. Une femme superbe. Une femme comme on n'en faisait plus guère. Une femme du temps des femmes. Charpente généreuse, formes épanouies, une sportive, probablement. La voix claire. Et on ne peut plus nette dans le propos.

– Une montée de sève..., répéta M. Lanval.

Que l'absence de l'élève Laforgue fût consécutive à une brusque « montée de sève », M. Lanval n'avait aucune raison d'en douter, puisque la belle sportive l'affirmait. Elle était mère, elle savait de quoi elle parlait. Toutefois, la concomitance posait problème. Trois absences pour trois montées de sève simultanées, c'était un peu... enfin... la probabilité...

Ce que M. Foiriez (« On ne court pas dans les couloirs ») souligna sans fioritures :

– On en a six cents autres, là, du même âge à peu près, ils sont présents, eux... Pas de montée de sève ?

Mme Laforgue répondit, à juste raison :

– Oh, mais ça va venir, faut pas vous biler ! Je dis pas les six cents en même temps, ce serait... Même trois, quand on y pense, c'est un fameux hasard ! Mais il faut faire confiance à la nature, ils vont tous y passer, les paris sont ouverts, on prend rancard quand vous voulez !

Proposition que Mme Laforgue accompagna d'un splendide rire de gorge. Non, pas une sportive, corrigea M. Lanval, une cantatrice. Elle tient sa respiration comme personne. Cantatrice. Une de ces colonnes d'air ! M. Lanval ne voulut pas laisser son regard planer trop longtemps sur la surface de Mme Laforgue. Il n'y avait pas qu'elle dans son bureau. Il y avait la princesse du désert dans sa robe d'Apache et le petit rouquin. Il y avait M. Pritsky et M. Kader. Ils étaient tous venus, contrairement à ce qu'avait prédit M. Foiriez, tous présents et ponctuels. M. Kader et

M. Pritsky se tenaient droit sur les chaises qu'on avait empruntées à la salle de permanence. Ce qui surprenait M. Lanval, c'était la tenue de M. Kader, cet uniforme de policier...

— Votre fille, monsieur Kader, ne m'avait pas dit que vous étiez... (ici, M. Lanval mima plaisamment une gestuelle afférente à la circulation automobile), mais plutôt (ses deux mains étreignirent un volant virtuel et son poignet enclencha un compteur imaginaire)...

— Taxi ? répondit M. Kader. Taxi, j'étais ! Hier encore. Mais avec tout ce chômage, vaut mieux assurer. S'intégrer un bon coup !

Sur quoi, M. Kader fit un immense sourire à la princesse du désert.

— Hein, ma fille ?

Pour ajouter aussitôt :

— Elle est belle, ma fille !

— Je veux, qu'elle est chouette ! approuva le petit rouquin. Un canon ! Et pas du tout conne, hein !

— Ça, pour de la gironde, c'est de la gironde, convint Mme Laforgue, qui, apparemment, comme elle le souligna elle-même, « savait de quoi elle causait ».

— Elle est documentaliste ! précisa M. Kader.

— Vous avez mille fois raison, s'agissant du chômage, approuva M. Lanval. Effectivement... nos professions respectives nous garantissent... une relative sécurité... quoique...

Pendant que M. Lanval trouvait ce policier « très bien », sa fille « épatante », Mme Laforgue « exceptionnelle » et M. Pritsky « beaucoup plus calme que la veille », M. Foiriez estimait que le patron était en train de « se faire enfler », qu'on n'était pas là pour « compter les jetons », qu'on avait une enquête sérieuse à mener sur la disparition de « cet enfoiré de Crastaing », que lui, Foiriez, « personnellement, s'en foutait », que Crastaing, « cette viande froide qui traitait la hiérarchie comme les élèves », ne lui manquait pas, à lui, Foiriez, mais qu'il fallait, en toutes circonstances, « savoir tenir les parents » et que lui, Foiriez, n'allait pas laisser ces parents-là « nous bourrer le mou », et « se barrer » avec ce parfum d'assassinat qui leur faisait une aura faisandée...

— Il se trouve, malheureusement, que vos trois enfants avaient une punition à faire, susurra M. Foiriez. La même, précisa-t-il.

— Une punition ? demanda M. Pritsky comme s'il se réveillait.

— En français, précisa M. Foiriez. Pour M. Crastaing. Une rédaction.

— Ah ! la rédac ! s'exclama M. Pritsky.

— La voilà ! dit M. Kader.

M. Kader extirpa de son uniforme une double feuille passablement froissée qu'il tendit à M. Lanval.

Lequel passa la copie à M. Foiriez :

— La voilà, monsieur Foiriez ! Vous voyez bien...

— Une seule rédaction pour trois ? s'étonna M. Foiriez.

— Une connerie à trois, une rédac pour trois, c'est le tarif ! expliqua M. Kader, en homme de la loi.

– D'ailleurs, ils ont mis leurs trois noms, indiqua M. Pritsky.

– La solidarité, ça entraîne des conséquences, reconnut M. Kader.

– Fallait pas qu'ils mettent leurs noms ? demanda Mme Laforgue.

– Papa, où il est, Nourdine ? demanda la princesse du désert.

– Chez M. Pritsky, répondit M. Kader.

Qui volubila tout à coup :

– Je pouvais pas le garder au poste, tout de même ! Tu as manqué de patience avec ton frère, ma fille, alors il est allé travailler chez son ami Joseph, tu ne peux pas lui en vouloir ! D'ailleurs, lui, il ne t'en veut pas.

« Diversion », décida M. Foiriez. Il abattit une nouvelle carte :

– Pourriez-vous nous dire, monsieur Kader, pourquoi ce garçon (il désigna le petit rouquin) porte le survêtement de votre fils ?

– Éric ? s'écria joyeusement M. Kader, le survêtement de Nourdine ? Va savoir ! Un échange ! Ils ont échangé leurs habits ! Ils échangent tout, à cet âge ! Ma parole ! C'est le troc ! Le souk ! Le bazar ! La brocante ! Les puces ! Hein, Éric, les puces ! Et que je t'échange les stylos, et que je t'échange les baskets, et que je t'échange les billes, les bonbons, les batteries de cuisine, les auto-radios, les joints..

M. Kader interrompit son énumération, avec l'expression de quelqu'un qui court encore, mais au-dessus du vide.

– C'est la vérité vraie, enchaîna Mme Laforgue, tous des échangistes, à cet âge !

– Des échangeurs, corrigea M. Pritsky, des... échan...

Les bras de M. Pritsky dessinaient en tournoyant un entrelacs d'autoroutes aériennes...

Après un coup d'œil furtif à sa montre, M. Lanval estima qu'il perdait son temps, que, pour bien intentionnée qu'elle fût, cette réunion, comme c'était trop souvent le cas dans la profession, se révélait parfaitement inutile, que ces braves gens n'étaient évidemment pour rien dans l'absence de son collègue Crastaing, qu'il souhaiterait même, en tant que principal, rencontrer plus souvent des parents aussi attentifs à leur progéniture, que ce pauvre Foiriez se contrôlait de moins en moins, qu'il était urgent d'en référer au rectorat si on voulait éviter un conflit majeur avec les parents d'élèves, oui, qu'un rapport sur ce pauvre Foiriez s'imposait, que là était, hélas, la seule urgence, un rapport sur la paranoïa évolutive de ce malheureux Foiriez.

Aussi, M. Lanval se leva-t-il, sourire souriant, mains épiscopales :

– Eh bien, il ne me reste plus qu'à vous remercier... pour votre célérité et votre... compréhension... Les absences... comprenez-vous... sont un sujet de... les statistiques, n'est-ce pas... et très dommageables à notre... projet pédagogique... enfin...

Projet pédagogique, mon cul, pensait M. Foiriez dans le tonitruant silence de sa tête. Cette boîte part en couille parce que ce tocard croit n'importe quel baratineur ! Mais pas de ça avec moi ! Je me suis pas cogné tous ces stages de formation pour me laisser repasser par les premiers parents venus. S'il y en a un qui en connaît un rayon, côté gestion d'élèves et de parentèle, ici, c'est bien ma pomme. Pépère s'en tape, lui (« Pépère » étant M. Lanval dans la tête de M. Foiriez), il part à la retraite à la fin de l'année, mais moi c'est autre chose, si mon piston au ministère fonctionne comme prévu, je deviens calife à la place du calife, alors pas question que j'hérite d'un bahut qui prend l'eau de partout et perd des élèves à tous les étages. Il y a des moments dans la vie où il faut faire dans le décisif. M'est avis que nous vivons un de ces moments-là.

Toutes pensées que M. Foiriez résuma en termes concis :

— Moi, je crois pas un mot à vos salades. Alors c'est bien simple, demain, tout le monde en classe à huit heures pétantes, avec le prof, sinon, je balance tout aux cognes, vu ?

— Aux cognes ? demanda M. Kader.

— À la police, traduisit M. Foiriez.

— La police ? explosa M. Kader, de façon absolument imprévisible, mais c'est moi, la police ! Je suis habillé en quoi ? En guignol ? Il sait pas lire les images, monsieur le conseiller d'éducation ? C'est moi, les keufs ! Et on dit pas les cognes ! C'est une insulte à agent, les cognes ! Insulte à parents d'élèves, c'est déjà difficile à avaler, mais à papa en uniforme c'est pas du tout supportable ! J'ai bien envie de l'emballer tout de suite, moi, monsieur le conseiller d'éducation ! Dans le fourgon et qu'on s'explique au poste, la putain de sa race ! Parce que s'il parle comme ça aux parents, comment qu'il doit parler aux enfants ! Mon fils Nourdine s'en plaint beaucoup, d'ailleurs. Et le fils Pritsky aussi, et le fils Laforgue ! Y aurait beaucoup à dire ! Vous croyez que c'est pas une incitation à l'absen... tésisme, cette face de rat ? Franchement, monsieur le principal, si vous étiez minot, vous vous lèveriez tous les matins, pour trouver ça à votre arrivée ? Et comment qu'il nous parle, en plus, l'enculé de sa race, avec tous ces gros mots !

— Un manque de respect flagrant, convint Mme Laforgue.

— Un schmock qui voudrait se faire passer pour un golem, suggéra M. Pritsky.

— Si j'ai bien compris, il soupçonne Nourdine d'assassinat ? ronronna la princesse du désert dont on entendit les ongles pousser.

— Et si on se le faisait, là, maintenant, entre nous, sans laisser de trace ? suggéra le petit rouquin. Ça serait peut-être une bonne action ?

Et voilà, pensa M. Lanval, l'incident majeur tant redouté, le voilà, en présence d'un agent assermenté, qui plus est. À un mois de ma retraite. Exactement ce que je craignais.

M. Lanval leva une main apaisante, mais une sonnerie retentit et la main de M. Lanval s'abattit sur le téléphone.

— Oui ?

Suivit une succession de « oui », de « mais certainement », de « si, si, je vous entends très bien », de « mais, pas du tout », le tout aboutissant à des

« vœux de prompt rétablissement, mon cher collègue », prodigués avec la plus sincère cordialité.

– C'était M. Crastaing, fit M. Lanval, après
avoir raccroché. Rien de grave... n'a pas pu nous
prévenir... une extinction de voix... mais ça va
mieux... une affaire de deux ou trois jours.

Et son regard se posa, on ne sait pourquoi, sur
M. Foiriez

22

– Purée, Igor, tu as raté quelque chose ! Ce que
Nourdine lui a mis, à Foiriez ! Vous auriez vu sa
tête ! Et leur tronche à tous les deux quand on a
sorti la rédac ! Et la montée de sève ! Super, la
montée de sève, Yolande ! C'est vrai d'ailleurs si
ça se trouve, c'est peut-être ça l'explication, une
putain de montée de sève ! Comme un volcan qui
éruptionne... Scientifiquement, hein ? Qu'est-ce
que ça pourrait être d'autre ? Ça s'est passé exactement comme vous l'aviez prévu, m'sieur (appelez-moi Albert), comme vous l'aviez prévu, exactement (et vous pouvez me tutoyer), les raisons de
l'absence, la rédac, le survêtement de Nourdine,
ils ont posé toutes les questions dans l'ordre que
vous aviez prévu, et nos réponses, pareil, dans
l'ordre, comme prévu ! À part le coup des échangistes... « tous des échangistes »... j'ai cru que... et
Joseph : « non, non des échangeurs, des échangeurs ! » avec plein de gestes... Non, là, franchement, Igor, t'as vraiment raté quelque chose !
Vous avez eu raison de nous faire répéter, m'sieur
(vous pouvez m'appeler Albert), ça nous a vraiment été utile ! Vous avez entendu comment il

parle, Foiriez, comment il parle aux parents, non mais je rêve ! Je rêve ! On rêve, là ! Et ils acceptent ça ? Il leur parle comme à nous et personne ne dit rien ? Le bouffon, dis ! T'aurais entendu ça, Igor ! Là où Nourdine a été bon, c'est le coup du sur-vêt... « ils échangent tout, à cet âge, les bonbons, les batteries de cuisine, les joints, les flingues... » J'ai pas dit les flingues ! On t'aurait laissé conti-nuer, t'aurais dit les flingues, les canons, les bom-bes atomiques, les morpions, ils échangent tout ces petits cons... Non, ça, vous avez raté quelque chose, m'sieur (je vous en prie, appelez-moi Al-bert), mais comment il parle, le Foiriez, j'en re-viens pas ! Tu sais que j'étais vraiment en colère, encore un peu je l'embarquais pour de bon, me-nottes et tout ! Arrête, Nourdine ! Je te jure ! Il s'y croyait, le con, il croyait sérieusement qu'il pou-vait nous parler comme ça, à nous, les parents ! Et voilà que Nourdine se met à gueuler, mais c'est moi, les keufs, la police, c'est moi ! Avec Yolande qui faisait oui oui de la tête, un manque de res-pect flagrant. Qu'est-ce que c'est, Joseph, un schmock ? et comment tu as dit, déjà ? un go... un golem ? c'est... Et l'Éric qui propose ni plus ni moins de se faire le Foiriez, là, sans témoin, non, Igor, je t'assure... Elle a été géniale, Yolande ! Formidable ! Vous avez été géniale, Yolande ! Oh, j'ai fait ce que j'ai pu avec les moyens que j'ai amenés. Arrêtez, formidable, je vous dis ! Vous l'auriez vue, m'sieur (s'il vous plaît, appelez-moi Albert, et tutoyez-moi, vraiment), ils vont tous y passer, les six cents, on prend rancard quand vous

236

voudrez ! En plus c'est vrai qu'ils vont tous y passer ! La tête de Foiriez quand Nourdine..

Retour de bataille, ils fêtaient leur victoire et la fête prenait de l'ampleur, un récit en spirale qui promettait de monter jusqu'à l'aube, les petits, excités comme des puces qui dansaient autour d'eux et en redemandaient, Pope, Moune, Tatiana, même Ismaël : « Encore ! Encore ! » et chaque récit qui repartait de zéro, la version de Nourdine, la version de Joseph, la version d'Éric, la version de Yolande, avec un aparté par-ci, par-là...

(Aparté :)

RACHIDA : Papa, où il est Nourdine ?

NOURDINE : Rachida, t'as confiance en moi ?

RACHIDA : Bien sûr, papa.

NOURDINE : Alors voilà, je ne suis pas papa, je suis Nourdine. Papa, c'est le petit rond, là, l'amoureux de Tatiana, avec les pastels.

(Fin de l'aparté.)

Et Pope :

– Dis-nous comment il parlait, Foiriez ?

– Plein de gros mots !

Et Moune :

– Des gros mots comment ?

– Énormes, pas imaginables !

Et Tatiana :

– Pas imaginables comment ?

(Aparté :)

RACHIDA : Mais qu'est-ce que tu fais dans cet uniforme, toi ?

NOURDINE : C'est à Éric. Il était flic quand il etait grand. Tiens, regarde sa photo.

(Photo d'Éric le rouquin sur sa carte de police, sourire de Rachida.)

NOURDINE : C'est un bon, Éric, tu sais, il fait partie de la tribu, la vraie.

(Sourire de Rachida vers Éric.)

NOURDINE : Il veut pas qu'on traite les filles de connes.

(Sourire d'Éric vers Rachida. Échange des yeux. Futur en perspective si les choses s'arrangent.)

NOURDINE . Faudra juste que tu fasses gaffe à la batterie de cuisine.

(Fin de l'aparté.)

Et de nouveau le récit de toutes les victoires, avec cette conviction qu'ils avaient été les premiers adultes à river le clou de Foiriez, cette tache de Foiriez, il fera gaffe, maintenant, avec les parents et avec les élèves, c'est moi qui te le dis ! Des adultes pas mécontents d'eux en somme, des adultes qui prenaient la relève avec un certain panache, et qui, pour la première fois depuis deux jours, ne tenaient plus du tout à retourner à la case départ — Nourdine et Joseph en tout cas – parce que franchement, si ce n'était pas plus compliqué que ça, la vie adulte, il n'y avait peut-être pas grand bénéfice à retomber dans les années d'apprentissage, d'autant plus que les parents n'avaient pas l'air malheureux en enfants, beaucoup plus épanouis que quand ils étaient grands, même, tout le monde y trouvait son compte au bout du compte, pourquoi revenir en arrière ou retourner en avant ? Regardez-les sauter de joie, Pope et Moune, regardez le sourire adorable de

Tatiana et la lune énamourée d'Ismaël, tous les deux ensemble dès le départ, la genèse de l'amour, comme Tatiana l'avait toujours souhaité... non, vraiment, la famille telle qu'elle se présentait, ces enfants insouciants pendus aux récits des grands, Yolande en mère nourricière, il ne fallait pas toucher à ça, et puis, avec les femmes de l'Allée en frangines compréhensives, on allait enfin pouvoir envisager le côté sexuel de la chose, lâcher la bride au fauve splendide, c'est curieux que cette idée, que cette envie, que ce désir, que cet appétit ne leur soit pas venu plus tôt, non, il fallait cette victoire pour qu'ils se sentent hommes, et qu'ils deviennent hommes vraiment pour que Nourdine envisage Agnès, tout à coup, la libère d'Andersen et l'envisage... quel beau verbe, l'envisage !... quel verbe prometteur... franchement, trouvez-leur une seule bonne raison de remettre tout ça à l'endroit.

– Pas imaginables comment, les gros mots de Foiriez ?

– Comme ceux que les grands interdisent aux petits.

– Raconte encore la montée de sève, Yolande !

– Et la rédac, Joseph !

– Et le survêt, Nourdine !

– Et la police ! Et la police !

Ce qui est tombé pile, c'est votre coup de téléphone, m'sieur (Pritsky, vraiment, appelez-moi Albert, et vous pouvez me tutoyer, je vous assure), calculé pile poil ! Minuté comme à la guerre ! L'opération commando ! Comme au ciné ! C'est vrai, là, vous avez fait très fort, m'sieur (Albert, appelez-moi Albert, c'est très important, Kader), parce qu'il fallait être objectif, oui, la victoire décisive ç'avait été le coup de téléphone de Crastaing à l'instant crucial, l'appel de la victime, le mort au bout du fil, l'assassiné qui cause, le macchabée ressuscité, et pas n'importe quand, au paroxysme du soupçon ! Exactement le temps que vous aviez calculé, m'sieur, à la seconde près (je vous en supplie, appelez-moi Al...), pile la bonne seconde, certitude faite dans la tête de Foiriez et *dring !* téléphone : Crastaing ! La cerise sur le gâteau, le bouquet final !

Ils en étaient à évoquer le regard de Lanval sur Foiriez, la tête décomposée de Foiriez, ils avaient atteint le paroxysme du bonheur narratif, ce point d'équilibre au sommet de l'histoire, la seconde où on va replonger, tête la première, pour une nouvelle boucle sur la grande roue de l'enthousiasme, reprendre le récit avec des hurlements de joie et s'offrir un nouveau solstice. Tout ça, c'est grâce à vous, m'sieur...

Mais un hurlement déchira la fête.

Un long cri fendit l'atmosphère.

Comme un tissu qu'on déchire.

Un tissu déchiré de haut en bas et qui dévoilerait un corps plus nu que nu, une nudité atrocement exposée, quelque chose comme une peau retournée, une chair à vif livrée à la brûlure de l'air.

Cela montait de Crastaing.

De Crastaing qui hurlait :

– Mais vous ne m'entendez pas ?

Un hurlement de perdu.

– Vous ne m'entendrez donc jamais ?

De perdu qui parle à tous parce qu'il ne peut s'adresser à personne.

– Deux heures que je vous supplie de m'appeler Albert ! Et de me dire « tu » !

Un vrai furieux de métro, qui prend le wagon à témoin :

– Il vous est si étranger que ça, mon prénom ?

C'est fou ce que les wagons sont vides à ces heures de pointe...

– Albert n'existe pas ?

Comme les journaux se déploient... comme on s'informe...

– Quoi que je fasse ?

Comme le souterrain défile passionnément, des deux côtés de la rame...

– Quoi que je tente ?

Comme les chaussures deviennent objet de méditation...

– Trente ans que je vous appelle !

Ou le dos des mains...

– Que je cherche un regard.

Oh, le silence aveugle du métropolitain... Les roues feutrées du malaise... Et comme le furieux devient furieux...

– Ce n'est pas que je vous envie, comprenez-moi bien, ce n'est pas que je tienne absolument à participer, ce n'est pas que j'estime la chiennerie de l'enfance, cette mauvaise joie de meute qui fait la communauté enfantine, cette insatiable faim de jouir, cet appétit prédateur, ce bonheur indifférencié, cette plénitude monocellulaire, ce cocktail d'égoïsme frénétique et de soumission veule à la horde... ce n'est pas que je vous envie toute cette obscénité, non, mais *ressentir* l'enfance au moins une fois, qu'une main tendue m'arrache une seconde au désert de ma lucidité, que je cesse de *savoir* pour *sentir* une fois dans ma vie, rien qu'une toute petite fois, ce que c'est que votre foutue enfance ! Je donnerais tout, vous m'entendez, absolument tout, pour faire mienne une seconde seulement de votre enfance ! *Éprouver* cette joie imbécile ! Cette ignorance si pleine ! Ces chagrins obtus ! Cette aptitude aux passions successives, aux reniements instantanés, à l'oubli sur commande, à la cicatrisation immédiate ! Cette effarante absence de mobile ! Cette ivresse du présent ! Cette conscience purement digestive ! Je braderais tout pour être bête, une seconde, comme un enfant ! Jouir absolument de cette stupidité ! Me repaître une bonne fois de cette idiotie des origines et retourner à mon moi d'adulte en sentant enfin de quoi je me suis libéré, à quoi j'ai su échapper, ce que ma conscience a vaincu ! Jouir de ma maturité, oui, mais en pleine connaissance de cause ! Comme ce doit être bon, un souvenir d'enfance ! La certitude d'une enfance vaincue ! Comme on doit *être* pleinement quand on vient d'où vous êtes ! Avec toute cette bêtise derrière soi ! Et comme on est mal, quand on n'a jamais senti ce fumet-là ! Comme on existe peu, sans enfance ! Si vous saviez... Si vous saviez comme j'existe peu... Est-ce trop vous demander, de m'appeler Albert, de me tutoyer, de me traiter comme un enfant de mon âge ? Albert ! Ce n'est tout de même pas imprononçable, Albert ! Après tout ce que j'ai fait pour vous ! Jusqu'où faudra-t-il que je m'abaisse pour mériter l'aumône d'un prénom ? Je ne suis pas assez petit, pour que vous m'appeliez Albert ? Et que vous me disiez « tu » ? Regardez-moi, quand je vous parle ! Je ne suis pas assez *petit* ? Il faut que je pleure ? Faut-il vraiment que je pleure ?

23

Et Crastaing s'était mis à pleurer. Des larmes comme des olives. Étranges larmes si peu émouvantes. Auraient-elles explosé à ses pieds comme des gouttes de nitroglycérine qu'elles n'auraient pas effrayé davantage son entourage. Lequel avait réagi en resserrant les rangs, évidemment. Ils avaient recherché leur propre chaleur, Igor, Nourdine, Joseph soudés comme des triplés, Tatiana dans les bras d'Ismaël, Pope dans ceux de Moune, tous les quatre dans les jupes de Yolande, lèvres gonflées et frémissantes, prêts à pleurer eux-mêmes, et pleurant bel et bien, mais des larmes enfantines, mélange de peur (pourquoi il crie, lui ?), du sentiment d'injustice (pourquoi il crie après nous ?) et d'exaspération (arrrrrête de crier !) cependant que Yolande, prisonnière de cette marmaille terrorisée, ne pouvait pas faire un pas vers Albert, et qu'Éric, sur les genoux de Rachida, cherchait sincèrement à comprendre ce petit vieux en manque, mais en manque de quoi ? et que les triplés émergeaient enfin de leur absurde sentiment de victoire, douchés par ce désespoir, horrifiés par une situation que, décidément, ils ne *comprenaient* pas, bon Dieu que ce cauchemar à tiroirs finisse enfin ! Que ça cesse ! Et qu'il cesse de pleurer, l'autre là, tellement impossible à consoler, parce que là était le comble de toute cette douleur, cette paralysie de leur gorge, pas un seul mot disponible au répertoire de la consolation, c'était comme voir quelqu'un se noyer derrière une vitre, on ne peut pas le sauver, il n'y aurait qu'à briser la vitre mais on ne peut pas, on ne peut pas... pourquoi ne peut-on pas ? Comme si c'était notre faute, cette noyade en direct, alors que ce n'est pas notre faute, on n'y peut vraiment rien, tu vois, c'était ça le pire, papa...

★

Oui, c'est cette impuissance qui a précipité Igor au Père-Lachaise. Il n'a jamais couru si vite ni sauté si haut par-dessus les tombes pour venir me voir. Quand il est arrivé à moi et qu'il m'a lancé son habituel « Tu es là ? », j'ai choisi de le stopper dans son élan. J'ai répondu :

– À une condition.

Réussi. Il s'attendait à tout sauf à ça.

– Une condition ? Quelle condition ?

– Que tu m'annonces tout de suite comment tu me vois.

– Quoi ?

– Igor, une première fois tu me vois en pyjama, une deuxième fois comme un enfant de sept ans... Dans mon état, je n'aime plus les surprises, elles ne me font aucun effet. Comment me vois-tu cette fois-ci ? Le Manneken-Pis ? Un poisson rouge posé dans son bocal sur le coin de ma tombe ?

– Arrête de déconner, papa, ce n'est pas le moment. Je te vois comme tu étais la dernière fois.

– Sept ans ?

– Oui, et dans ton pyjama rayé. Écoute, papa, côté merde ça ne fait que s'épaissir, c'est un bordel incroyable !

– Tu trouves ? Moi je trouve que ça se passe plutôt bien.

Igor s'est demandé si la mort m'avait rendu cinglé, mais j'ai enchaîné :

– Tu n'es jamais content, alors ? Ce n'était pas bien avant, c'est pire maintenant, qu'est-ce que tu veux, au juste ?

Avant tout, il fallait le calmer, qu'il pense à autre chose, qu'il se taise un peu, reprenne son souffle et ses esprits. J'ai continué comme si de rien n'était :

– Non, moi je trouve que ça se passe plutôt bien. Pour Tatiana, en tout cas...

J'ai laissé traîner un silence on ne peut plus chargé. Et j'ai repris, entre deux tons :

– Il est très bien, Ismaël...

Igor est passé doucement de la panique à l'embarras. J'ai exploité le filon sans le moindre scrupule :

– Ça ne me fait pas un plaisir fou, mais l'important, c'est que ça lui fasse plaisir à elle.

Ici, il a tenté une sortie :

– Papa... C'est bien ce que tu voulais, non ?

J'ai poussé le plus gros soupir possible :

– Comme si j'étais en état de vouloir quoi que ce soit...

Là, il s'est penché vers moi et m'a parlé comme à un enfant hors d'âge :

– Papa, c'est toi qui l'as voulu, rappelle-toi... Tu en avais assez qu'elle se disperse pour t'oublier. Tu voulais qu'elle rencontre quelqu'un, tu voulais que je lui donne le moyen de choisir avant d'essayer, c'est exactement ce que tu as dit : « choisir avant d'essayer ».

– Et toi tu voulais l'emmener à New York. Tatiana à New York... Pauvre New York. .

– New York ou...

– New York ou Ismaël ?

Il s'est tu. Je me suis tu. Nous nous sommes tus. Il était tout à fait calme, à présent. Embêté, affreusement, mais calme. Et dans le vif du sujet. Recadré. J'ai pu conclure :

– Ismaël, Igor. Je préfère Ismaël.

D'autant plus que là-bas, entre Montparnasse et la tour Eiffel, le soleil empruntait les pastels d'Ismaël pour se coucher une deuxième fois sur cette histoire. Ça commençait à bien faire...

– Crois-moi, Igor, tu as réussi ton coup. Ismaël convient beaucoup mieux à Tatiana que les États-Unis d'Amérique. Alors, tu vas t'arranger pour qu'ils en profitent un peu, ces deux-là, comme des grands, sous le même toit, dans le même lit, pour longtemps.

Comme des grands ?

Évidemment. Ils ne vont pas se mettre en ménage à six ans ! Tu connais les gens

– Mais, papa, comment veux-tu que je

– Igor, Igor... À quoi ça t'a servi de prendre vingt ans d'un coup ? Qu'est-ce que tu es devenu ? Un grand couillon incapable de remettre cette situation à l'endroit ? Toi ? Avec ton imagination ! Sous prétexte que tu t'es cuité, que tu es allé chez les putes, que tu t'es offert une bagarre d'homme avec Joseph, tu crois avoir tout vécu, tout essayé ?

– ...

– Tu l'as sous les yeux, la solution ! Depuis ce matin ! Tu ne t'en es pas rendu compte ? Une solution d'un mètre vingt, avec un petit costard taché d'encre violette et des lunettes sparadrap. Une toute petite solution au visage pâle, qui appelle au secours depuis toujours, tu n'entends pas ? Avec une tête qui ne demande qu'à imaginer vraiment mais qui ne peut pas ! Des doigts qui ne demandent qu'à écrire mais qui ne suivent pas !

– Crastaing ?

– Qui d'autre ? C'est lui qui a donné le sujet, c'est à lui de le traiter, tu n'as pas compris ça ? Une vie entière qu'il donne à ses élèves les sujets qu'il voudrait pouvoir traiter lui-même. Tu ne l'as pas écouté ? Tu n'as pas écouté Yolande ?

– Mais il l'a déjà faite, la rédac !

– Il l'a ratée, Igor ! Il faut qu'il la recommence. Tu ne vois pas qu'il l'a ratée ? Tu as le résultat sous les yeux, pourtant. Lamentable ! Plus malheureux qu'un mort ! Il n'a rien écrit, dans sa bibliothèque, il a tout recopié !

Ici, je me suis tu quelques secondes, j'ai regardé par-dessus Igor, j'ai plané au-dessus de l'innombrable Paris, comme on survole sa propre existence... j'ai revu tous les Crastaing de ma vie... et parmi eux le chirurgien qui m'a élevé à ce point de vue.

Finalement j'ai repris, moins pour Igor que pour une invisible cantonade :

– Et s'il était le seul à l'avoir ratée, sa rédac ! S'il était seul à ne pas pouvoir traiter ce genre de sujet ! Mais ils sont nombreux dans cet état : amputés de leur enfance, poussés prématurément dans le train des ambitions, programmés dès l'ovule, opérationnels dès le départ, professionnels dès le berceau, on les retrouve à la tête des Gouvernements, des Gigantesques Entreprises, des Laboratoires Monumentaux, des Banques Mondiales de ceci, des Fonds Monétaires de cela, Gestionnaires d'Abstractions, Grands Brasseurs de Ressources Humaines, « sans états d'âme » et qui s'en vantent ! Mon chirurgien transfuseur, par exemple, sans qui je ne serais pas là à savoir de quoi je parle ! Amputé de son enfance, lui aussi ! Viande froide calibrée dans l'éprouvette, splendides animaux sociaux, pas d'histoire mais un destin ! Nuls en rédac mais excellents en dissert ! On a même imaginé des écoles pour eux ! Je les connais bien, j'ai passé ma vie à les dessiner ! J'ai commencé avec Crastaing et je n'ai jamais cessé. Ils sont faciles à croquer, ils ne sont que l'apparence d'eux-mêmes, ils ont le profil de leurs ambitions, les allures de leurs rôles, pain bénit pour nous autres caricaturistes, ces hommes et ces femmes qui ne savent que ce qu'ils veulent ! Des figures sans visage ! Les plus subtils ont des têtes de faux culs et la vraie joie du métier c'est de dessiner leurs arrière-pensées, mais jamais, jamais leurs traits ne sont brouillés par l'intrusion du sentiment. J'aurais abandonné la caricature, sinon, je serais devenu peintre, comme Ismaël, ou photographe. C'est peut-être pour ça que je me grattais les fesses, le matin, avant de rendre mon dessin au journal, pour renouer avec de l'humain, du vivant, de l'approximatif, du goûteux, de l'odoriférant...

– ...

(Ma parole, mais c'est que je m'emballerais presque ! Dans mon état, c'est de la pure indé-cence. La mort ne nous guérit donc de rien ?) Je me suis tu, mécontent. Là-bas, le soleil achevait sa noyade quotidienne. Encore quelques reflets, tout au plus, à la surface dorée de la capitale.

Finalement, Igor a dit :

– Tu te trompes, papa, Crastaing n'est pas ce que tu dis. Il n'est ni banquier ni...

Ça m'a fait repartir au quart de tour :

– Parce qu'on l'a raté ! On ne l'a pas vidé com-plètement. On a dû lui laisser un bout de cœur, un reliquat d'enfance, un morceau de gratuité qui s'acharne ! Ils sont innombrables dans son cas. L'immense majorité, en fait. Ce n'est pas facile de vider un enfant complètement. Et ce reste d'hu-manité fait d'eux les hommes les plus malheureux de la terre ! Enfin, quoi, Igor, regarde-le, ton Crastaing, tu ne vois pas qu'il étouffe, qu'il a l'in-tuition de quelque chose, qu'il n'est personne et qu'il se réclame ! Il a fait l'effort de sauter du bo-cal et vous allez le laisser crever comme un pois-son hors de l'eau ? Mais qu'est-ce que vous avez à la place du cœur ? Il est redevenu petit, Igor, il a une nouvelle chance à prendre, il faut la lui donner !

– En lui faisant faire la rédac ?

– Bien sûr ! En le bourrant d'enfance jusqu'à la gueule, une fois pour toutes ! Collez-lui une indigestion de souvenirs et qu'on en finisse. Gavez-le ! Il me semble que vous êtes les mieux placés pour le renseigner, vous tous, aujourd'hui, non ? Ou alors, rien ne sert à rien, vraiment ! Et puis quoi, tu n'as pas envie de retrouver un prof un peu plus humain, un peu plus gai, un peu plus libre, un peu moins fou et un peu plus dingue ? Faites-lui écrire cette rédaction, bon sang ! Donnez-lui un petit coup de main, allez...

24

Sujet :

Vous vous réveillez un matin et vous constatez que, dans la nuit, vous avez été transformé en adulte. Complètement affolé vous vous précipitez dans la chambre de vos parents. Ils ont été transformés en enfants.

Racontez la suite.

— On a dit la *suite*, Albert !
— Et pas de solution de facilité !
— Ce n'est ni un rêve, ni les Martiens, ni une facétie de fée !
— C'est la réalité !

Quand je parlais d'un petit coup de main, je ne pensais pas à cette grêle de baffes qui s'abattrait cette nuit-là sur le crâne d'Albert. Lui, le pauvre, assis à la table de la cuisine, tout impuissant devant une feuille blanche et sous la lueur dansante de l'ampoule, et les trois grands, debout derrière lui, avec cette conception très adulte de l'assistance pédagogique :

IGOR : Qu'est-ce que ca veut dire, « j'y arrive pas » ? (Baffe.)

NOURDINE (baffe) : C'est si difficile que ça à imaginer, une vie de famille ?

JOSEPH : On n'est pas réels, peut-être ? On est des virtuels ? (Baffe.)

NOURDINE (baffe) : Et les autres, là (geste circulaire désignant Pope, Moune, Éric, Tatiana et Is maël), c'est quoi ? Des nains de jardin ?

IGOR : Fais gaffe, Albert, on va se fâcher...

NOURDINE : Albert, Albert, tu voudrais pas qu'on se soit farci tout ça pour rien, quand même ?

JOSEPH : C'est sûr que si tu y mets pas un peu de bonne volonté, ça va chier, Albert...

À chaque tape sèche, Pope, Moune, Éric, Ismaël et Tatiana accusaient le coup. Ils clignaient des yeux. Ça résonnait dans leurs propres crânes. Ils faisaient l'apprentissage de la solidarité. Ce fut Tatiana qui craqua la première. Elle se précipita sur Igor et le jeta à la porte de la cuisine en hurlant :

– Tu vas le laisser tranquille, oui ? Il est assez petit pour faire son devoir tout seul !

Ismaël suivit le mouvement de Tatiana. Debout sur la pointe des pieds, il s'arrima à l'oreille d'Albert et y déversa un flot d'informations capitales. Il parlait, il parlait comme s'il avait attendu toute sa vie ce moment de parler.

Qu'est-ce que tu dis ?

Le visage d'Albert s'était allumé. Son oreille s'était agrandie. Sa plume se mit à courir sur le papier.

– Moins vite ! Moins vite ! Oui, c'est ça, mais va moins vite !

Quand Ismaël se retira, ce fut au tour d'Éric de s'aboucher à l'oreille d'Albert, l'autre, la gauche. Entre les deux oreilles, le sourire d'Albert n'en finissait pas de s'élargir. La plume d'Albert courut avec les mots d'Éric, pendant que Pope et Moune Pritsky fichaient Joseph et Nourdine à la porte de la cuisine.

★

La suite se passa dans le huis clos des enfances. Tout ce que je peux en dire, c'est que le lendemain matin la classe de 5ᵉ 2 riait, au grand complet, à la lecture d'un corrigé que M. Crastaing lisait à haute voix. Il s'agissait d'une rédaction, une punition qu'il avait donnée à Nourdine Kader, Igor Laforgue et Joseph Pritsky, deux jours avant. Même que ça leur avait foutu les glandes et qu'ils avaient été absents tous les trois. C'était la toute première fois que M. Crastaing lisait un corrigé de rédaction, et ce n'était pas mal du tout pour un coup d'essai. Plutôt bien, même. Il avait écrit ça pendant sa maladie, une extinction de voix, à ce qu'il paraît. Mais pas trop grave, vu qu'il lisait à tue-tête, comme s'il ne l'avait jamais perdue, sa voix. Nourdine, Igor et Joseph étaient revenus, eux aussi, ils étaient présents, avec leurs glandes. M. Crastaing avait trouvé une idée formidable pour son corrigé : le sujet devenait réel quand on le traitait, ça arrivait *vraiment,* oui ! Nourdine, Igor et Joseph se trouvaient métamorphosés en grandes personnes et leurs parents en sens inverse ! Lui-même, M. Crastaing, y avait droit, au rétrécissement, dans les ouatères d'une bibliothèque, ou quelque chose comme ça... Rapetissé, Crastaing ! Sans blague ! Obligé de grimper sur la cuvette pour ouvrir la porte. À vrai dire, la lecture commençait à passionner la classe. Franchement marrant. Super, même ! Super-méga-top ! Nourdine, Igor et Joseph ne savaient pas du out s'y prendre en tant que grandes personnes et M. Crastaing n'était pas vraiment doué non plus comme minot, mais à eux quatre ils se démerdaient plutôt bien, pour expliquer leur absence au collège par exemple, il y avait un passage avec M. Foiriez (« On ne court pas dans les couloirs ») et M. Lanval...

Trente ans...

Trente ans que, de mémoire de professeur, on n'avait pas entendu un rire dans la classe du collègue Crastaing.

Cela justifiait la présence de MM. Lanval et Foiriez, accroupis sous les vitres du couloir qui vibraient aux hurlements des élèves. (« Pourquoi faut-il que les élèves rient toujours plus fort que les enfants ? » se demandait M. Foiriez.)

– Il est très... en forme... convint M. Lanval.

– Il va déranger tout l'étage, protesta M. Foiriez.

– Laissez, Foiriez, laissez, ce n'est pas si...

– Et puis cette tenue ! s'indignait M. Foiriez.

M. Foiriez faisait allusion au costume de M Crastaing, un costume saumon rayé de blanc, avec une pochette rouge vif et un large pantalon à revers, cassé juste comme il le fallait sur une paire de chaussures à petits trous et à deux tons.

– Franchement, il est fringué comme un...

– Non, ces couleurs, au contraire... je trouve que c'est très... ça donne de la... un peu de...

Du bout de ses doigts, M. Lanval dessinait les volutes de la gaieté.

★

Récit qui correspond à peu près au compte rendu qu'Igor me fit de cette matinée. Crastaing, affirmait-il, était « raide dingue » de Yolande. Habillé par elle, il avait fière allure. Au bras l'un de l'autre, ils ressemblaient à du bonheur en marche, et si les chaussures d'Albert grinçaient, c'était, d'après Yolande, « pour ne plus le perdre de vue ». La fin du corrigé regorgeait d'un bonheur à ce point académique (mariage d'Éric et de Rachida, remariage d'Ismaël et de Tatiana) qu'il y eut deux ou trois grincheux pour s'en offusquer.

– Pourquoi ça finit si bien, monsieur ? demanda le plus téméraire, en tordant une bouche critique.

– Parce que tu finiras mal, mon petit bonhomme, répondit M. Crastaing, et moi aussi, ajouta-t-il, il suffit de le savoir, ce n'est pas la peine d'en rajouter

★

Igor, Nourdine et Joseph ne reparlèrent qu'une seule fois de ce devoir, et encore, sur le mode allusif. C'était à l'anniversaire de Joseph, quelques semaines plus tard, le jour de ses treize ans. Tout le monde était réuni, comme chaque année, moi en moins, bien entendu, mais Ismaël en plus, avec le reste de la famille Kader : Rachida, Éric, et Nourdine. Tout le monde présent, donc, à l'exception de Papidoux Joncheville, comme d'habitude, mais le grand-père de Joseph, qui d'ordinaire séchait les anniversaires de son petit-fils pour raison de santé, justifia cette fois-ci son absence par une histoire de champagne et de coup ae téléphone qui lui était « resté en travers de la gorge ».

– Il n'aimait pas mon champagne, expliqua Pope Pritsky, je l'ai renvoyé à son vin de messe.

Le mensonge était manifeste mais ne surprit pas Joseph plus que ça. La phrase de Pope son père l'amena juste à rêvasser au « naturel » de la situation. Joseph passa en revue les adultes attablés (Ismaël, en retrait, pastellisait la scène, avec Tatiana en premier plan) et il demanda à Igor et Nourdine :

– Oh, les gars, ils savent ? Ou ils font comme si rien ne s'était passé ?

IGOR (catégorique) : Ils savent, mais ils ne l'avoueront jamais.

JOSEPH : Pourquoi ?

– Parce qu'ils sont heureux, répondit Nour-

dine, avec l'impression étrange d'avoir déjà prononcé cette phrase.

Assis en face des trois garçons, Rabbi Razon,
qui n'avait jamais l'air d'être tout à fait là mais
qui n'en perdait pas une, sortit une de ses phrases
bien à lui :

— Le vrai bonheur ne cite pas ses sources.

— Pourquoi ? demanda Igor, qui ne lâchait
jamais ses interlocuteurs des yeux.

— Pour ne pas rendre le bon Dieu jaloux, répondit le rabbin qui répondait à tout.

★

Voilà. Igor m'a raconté tout ça, pêle-mêle.

Puis il y eut un silence.

À la sortie duquel il m'a dit :

— C'est toi, hein ?

— Pardon ?

— Tout ça, c'est toi ?

— Quoi, tout ça ?

— Papa...

Non, je ne voyais vraiment pas ce qu'il voulait
dire. Alors, il a mis les points sur les « i »... Un
exercice qui ne l'a jamais effrayé.

— Papa, c'est toi qui m'as fait mettre ton dessin
de soixante-huitard dans mon cartable, c'est toi
qui as fourré ce sujet de rédac dans la tête de
Crastaing, tout ça pour que Tatiana rencontre Ismaël et qu'ils repartent de zéro. Ose me dire que
ce n'est pas toi.

J'en suis resté comme deux ronds de flan. Ces
gosses... Non seulement ils nous croient tout-

puissants de notre vivant, mais il faut encore qu'ils nous imaginent des moyens après la mort !

– ...

– ...

Bon, c'est vrai, c'est vrai, cette foule en délire qui poursuit Crastaing sous la banderole vengeresse, ce n'est pas d'Igor. C'est de moi. Mon tout premier dessin sur ce thème. Mais qu'est-ce que ça prouve ?

– ...

–

D'accord, Tatiana aurait pu tomber plus mal... On peut même dire que passer d'un tâcheron de la caricature désabusée à un artiste comme Ismaël, c'est une sorte de promotion. Et après ?

– ...

– ...

Igor a regardé droit devant lui :

– Et maintenant que tu as fini ton boulot, je ne vais plus te voir, c'est ça ?

Là, j'ai pensé qu'il était urgent de remettre les pendules à l'heure. J'ai dit ce qu'il fallait dire :

– Je te connais, Igor, tu finirais par croire aux fantômes.

Il a eu un rire parfaitement spontané :

– Ça me ferait mal !

Et il a ajouté :

– L'imagination, ce n'est pas le mensonge.

DU MÊME AUTEUR

Aux Éditions Gallimard

AU BONHEUR DES OGRES («Folio», *n° 1972*).

LA FÉE CARABINE («Folio», *n° 2043*).

LA PETITE MARCHANDE DE PROSE («Folio», *n° 2342*). Prix du Livre Inter 1990.

COMME UN ROMAN («Folio», *n° 2724*).

MONSIEUR MALAUSSÈNE («Folio», *n° 3000*).

MONSIEUR MALAUSSÈNE AU THÉÂTRE («Folio», *n° 3121*).

MESSIEURS LES ENFANTS («Folio», *n° 3277*).

DES CHRÉTIENS ET DES MAURES. Première édition en Folio, 1999 («Folio», *n° 3134*).

LE SENS DE LA HOUPPELANDE. *Illustrations de Tardi* («Futuropolis/Gallimard»).

LA DÉBAUCHE. *Bande dessinée illustrée par Tardi* («Futuropolis/Gallimard»).

AUX FRUITS DE LA PASSION («Folio», *n° 3434*).

LE DICTATEUR ET LE HAMAC («Folio», *n° 4173*).

MERCI. *Édition augmentée en 2006* («Folio», *n° 4363*).

Dans la collection Écoutez Lire

MERCI (1 CD).

KAMO, L'IDÉE DU SIÈCLE (1 CD).

KAMO, L'AGENCE BABEL (1 CD).

L'ŒIL DU LOUP (1 CD).

COLLECTION FOLIO

Dernières parutions

*Impression Société Nouvelle Firmin-Didot
à Mesnil-sur-l'Estrée, le 5 août 2007.
Dépôt légal : août 2007.
1ᵉʳ dépôt légal dans la collection : septembre 1999.
Numéro d'imprimeur : 86369.*

ISBN 978-2-07-041099-6/Imprimé en France.

154479